海外漢文古醫籍精選叢書·第三輯

2011—2020年國家古籍整理出版規劃項目
2018年度國家古籍整理出版專項經費資助項目
中國中醫科學院「十三五」第一批重點領域科研項目
——我國與「一帶一路」九國醫藥交流史研究（ZZ10—011—1）

蕭永芝◎主編

柳沜文藁

〔日〕多紀元胤 撰

30

北京科学技术出版社

圖書在版編目（CIP）數據

柳沜文藁/蕭永芝主編. —北京：北京科學技術出版社，2019.1
（海外漢文古醫籍精選叢書. 第三輯）
ISBN 978－7－5714－0012－5

Ⅰ. ①柳…　Ⅱ. ①蕭…　Ⅲ. ①醫論—彙編—日本—近代　Ⅳ. ①R249.7

中國版本圖書館 CIP 數據核字（2018）第293333號

海外漢文古醫籍精選叢書・第三輯・柳沜文藁

主　　編：蕭永芝
策劃編輯：李兆弟　侍　偉
責任編輯：吕　艷　周　珊
責任印製：李　茗
出 版 人：曾慶宇
出版發行：北京科學技術出版社
社　　址：北京西直門南大街16號
郵政編碼：100035
電話傳真：0086-10-66135495（總編室）
0086-10-66113227（發行部）　0086-10-66161952（發行部傳真）
電子信箱：bjkj@bjkjpress.com
網　　址：www.bkydw.cn
經　　銷：新華書店
印　　刷：北京虎彩文化傳播有限公司
開　　本：787mm×1092mm　1/16
字　　數：218千字
印　　張：18.25
版　　次：2019年1月第1版
印　　次：2019年1月第1次印刷
ISBN 978－7－5714－0012－5/R・2567

定　　價：**520.00元**

海外漢文古醫籍精選叢書·第三輯

柳沜文藁

〔日〕多紀元胤　撰

内容提要

《柳沜文藁》，又作《柳沜文稿》《柳沜文集》《柳沜先生文藁》，爲日本著名醫家多紀元胤的文集，輯録作者在一八〇五—一八二七年間創作的醫論、雜文及詩作，載有序跋、考辨、醫案、信函、墓表、詩作、雜文共九十四篇，内容涉及中日兩國的醫學著作、疑難考據、臨證驗案、醫家生平世系及墓志銘等。各篇獨立成文，前後文之間并無連貫性和邏輯關繫，大部分内容與醫學相關，亦有部分内容反映了多紀元胤的生活與交游。

一　作者與成書

《柳沜文藁》全書三卷，各卷首葉均題署「東都丹波元胤紹翁」，正文各篇「序」「跋」之尾署名多見「元胤」之名，書末「《迂巢雜存》題詞」之後書「丹波元胤紹翁識」。由上可知，本書撰者爲日本著名醫家丹波元胤（紹翁）。

丹波元胤（一七八九—一八二七），名元胤，幼名彌生之助，字紹翁、奕祺、錫祚、緝熙、恂王，通稱安良、安長、安元，號柳沜、楓窗、茜園，法號專覺院，撰文常以櫟窗後人、柳沜半衲、柳沜散人、柳沜醉漁、自然生、雙清道人、迂窩道人、書顛等名自稱，又常稱居所與讀書之處爲柳沜𣓨舍、桐竹雙清處、蒼雪山房、隨月讀書樓、雙清屋等。元胤出生於東都（今屬日本東京），爲著名醫家丹波元簡之子。其家族本姓丹波，係《醫心方》作者丹波康賴後裔，寬延二年（一七四九），至丹波元孝時改姓多紀，并一直沿用至今。但多紀氏家族以丹波康賴後人爲榮，故喜自稱丹波，常與多紀混用。多紀世家歷代名賢輩出，元孝、元德、元簡、元胤和元堅等幾代醫家均爲幕府醫官且著稱於世。元胤幼承庭訓，博古清雅，交游甚廣。文化二年（一八〇五），擢爲醫官，任寄合醫師；文化八年（一八一一），繼其父之後執掌醫學館督事；文政五年（一八二二），授法眼稱號。元胤撰有《難經疏證》《醫籍考》《體雅》《疾雅》《藥雅》《柳沜文藁》等，又曾校刊《黄帝蝦蟆經》等醫學著作，在中日醫學研究領域均有較大影響。此外，元胤與其弟元堅繼承父業，畢生潛心研究和考據文獻、整理與出版醫書，爲古醫籍的保存及傳播創下令人矚目的業績。

在全書所收九十四篇醫論、雜文及詩作中，共有五十篇之文末分别記有題撰該文的具體時間。根據這些篇末款識所載時間，其中撰成最早的是文化二年（一八〇五）的「金匱正義跋」「本草綱目跋」，成文最晚的「傷寒貫珠集序」「傷寒廣要序」撰於文政十年（一八二七）。由此可知，《柳沜文藁》收録的短文、詩篇創作於一八〇五——一八二七年之間，時間跨度長達二十三年。

二　主要内容

《柳沜文藁》分爲上、中、下三卷，輯録了多紀元胤盛年時期二十三年間創作的醫論、雜文和詩作。

所收詩文題裁多樣，内容豐富，絶大多數與醫學相關，亦有少量涉及多紀元胤私人生活與交游的内容。

卷上，收書序二十六篇。是多紀元胤爲諸多醫籍撰寫的序文，作序的書籍包括中日兩國的醫學著作，日本方面有樋山資承（子弘）《治飲卑功》、大槻磐水（茂質，子煥）《蘭畹摘芳》、多紀元胤《醫董》《聿修堂讀書記》《賀蘭山先生八十初度》、多紀元堅《傷寒廣要》《訂補藥性提要》、服部良《難經愚得》、小野職孝（士德，蕙畒）《的治良方》、桂川甫三（孟善）《瘍府》、足立長嶲《産家約言》、岡勁齋《岡氏育嬰書》、宫崎立元《宫崎氏醫書》、青木元禎《痘疹彙編》、松屋源（文儒）《赤斑瘡辨》；中國醫書則有晋・劉涓子《劉涓子鬼遺方》，南齊・褚澄（彦道）《褚氏遺書》，唐・崔禹錫《崔氏食經》（日本醫官田澤温叔輯）、孫思邈《孫氏少小嬰兒方》，宋代官修《太平惠民和劑局方》、王德膚原撰（盧祖常、施正卿續）《易簡方》，元・佚名氏《重雕補注銅人針灸經》，明・胡廷訓《纂注痘疹全幼集》及清・柯琴《傷寒來蘇集》、尤在涇《傷寒貫珠集》《金匱心典》等。

卷中，録跋文二十九篇。所涉著作有多紀元簡《救急選方》《金匱輯義》，中醫典籍重雕宋版《素問》（日本東井文庫刻）、吴刻《黄帝内經》（清・吴悌刻）、《重雕難經集注》（崇山千田重刻），周氏刻本《中藏經》（清・周錫瓚刻）、孫氏刊本《中藏經》（清・孫星衍刻）、漢・佚名氏《黄帝蝦蟆經》，宋槧《史記・扁鵲傳》、晋・劉涓子《治癰疽神仙遺論》、宋・寇宗奭《本草衍義》、楊倓（子靖）《楊氏家藏方》、許叔微鈔本《本事方》（佚名氏抄）、王刻《本事方》（王次辰刻）、鄭端友《全嬰方》，宋元時期佚名氏《龍木總論》，元・曾世榮《活幼口議》、徐用和《加減十三方》、原題朱丹溪《脉因證治》、明・許宏《金鏡内臺方議》、吴嘉言《針灸原樞》、李時珍《本草綱目》、盧萬鐘《醫説佛乘》，清・朱峻明《金匱正義》，撰年不詳的銅壁山人《痘疹全書》、佚名氏《痘疹心書》、佚名氏《五藏論》以及佚名氏選編《陸放翁詩鈔》等。

卷下，收「辨」三篇、「考」七篇、「醫案」四則、「書」七封、「墓表」三篇，另附「詩」十三首及雜文二篇，小計三十九篇。「辨」，有「《靈樞》不載運氣之説辨」「《名醫别録》非陶弘景所撰辨」「芍藥無飲液之功辨」；「考」，輯「腂腿考」「咳嗽考」「癥瘕考」「酸削考」「服藥命名考」「雀餳考」「徐氏世系考」；「醫案」，含「婦人懷妊脚腫案」「男子數歲患疝案」「男子脚膝緩弱案」「男子素蓄水癃致危案」；「書」，收「與曾士考論《藥性討源》書」「又與占春書」「與山本恭庭論《諸病源候論》書」「與山本恭庭書」「再與山本恭庭書」「答奈須玄盅書」「答茝庭書」；「墓表」，載「雲山池原君墓表」「三浦無窮翁墓表」「軒村主善遺稿塚銘」；書末另有「詩」與「迂巢雜存題詞」和「迂巢雜存」。

由上可知，《柳沜文藁》三卷主要以「序」「跋」「辨」「考」「醫案」「書」等形式闡述與評説醫著、醫家、醫理、臨床病案等，内容翔實，豐富全面，具有極高的文獻學研究價值。此外，書中還收録了多紀元胤爲相熟醫家所作墓表、塚銘，是研究相關醫家生平事迹的重要史料；而書中收録的部分詩作、雜文，對深入瞭解多紀元胤其人其事、生平交游等亦多有裨益。

三　特色與價值

《柳沜文藁》部頭雖小但所載内容豐富，廣及醫學領域的方方面面。其中的「序」「跋」「辨」「考」「醫案」等，涉及中日兩國四百餘位醫家及文人、一百九十餘部著作，旁及詳細的名物考據、醫家世系、醫經釋義、醫理闡發、臨證驗案等，題裁多樣，引據宏富，考證精詳，在醫學文獻學、臨床實踐等方面都具有很高的學術價值。此外，《柳沂文藁》還集有多紀元胤撰寫的部分墓表與詩文，其墓表文辭簡潔洗練，其詩作情景相生。因此，本書對考證醫家生平事迹等醫學史方面的問題，研究多紀元胤的生平與交游亦頗有價值。

（一）内容豐富，涉及面廣

首先，《柳沂文藁》書中涉及的内容極爲豐富。除各篇「序」「跋」所論中日兩國的醫學著作之外，還旁及辨「《靈樞》不載運氣之説」「《名醫别録》非陶弘景所撰」「芍藥無飲液之功」之説，録有婦人懷妊脚腫、男子數歲患疝、男子脚膝緩弱、男子素蓄水癃致危等，考證「腲腿」「咳嗽」「癥瘕」「酸削」等疾病症狀與病名沿革，詳述「服藥命名」「雀餳」等名物，梳理徐氏等醫家世系及生平事迹，辨析毛西河詩傳鳥名中鶯及鸝黄二説、山本恭庭所撰《諸病源候論》題解、胞有幾義、享保刻本《和劑局方》點藥頭橘親顯序并凡例中疑事、《難經》兩脅下及小腹兩旁爲膀胱之説等疑難問題，書末還附録元胤讀書解疑所得的「迂巢雜存」等，反映了多紀元胤探究醫藥理論、研究醫史文獻、整理出版醫書、親身臨證實踐的諸多史實、觀點和特色。

（二）序跋書目，多爲精品

多紀氏家族長期致力於醫籍的整理出版，對醫學古籍文獻的保護及傳播貢獻良多。多紀元胤本人親自參與了衆多醫籍的刊刻謄寫，故其《柳沂文藁》所涉中日兩國的醫著甚多，其中不乏善本、孤本。元胤對書籍撰者、内容特點、版本流傳等均有詳細的論述，并在精心考證的基礎上對著作、撰者加以品評，其嚴謹的治學態度在各篇序、跋中展露無遺，使本書在醫學文獻研究方面具有極高的價值。多紀元胤題序、賦跋的著作，多爲稀覯中醫古籍精品，亦有日本醫家的優秀著作。例如，在卷中「全嬰方跋」中，元胤曰：「其爲宋槧本，不容疑矣。」現代學者職延廣在「宋代文獻《全嬰方論》初考」一文中指出：「《全嬰方論》又稱《全嬰方》，係宋代醫學家鄭端友所著。《宋史・藝文志》未載，至《明史・經籍志》始有《全嬰方》四册之記載。本書在元、明兩代，特别是明代頗爲流行……至明代後亡佚，故《四庫全書總目》等清代目録專書，及《全國中醫圖書聯合目録》等現代目録專書，均無記載。」❶可見，多紀元胤在「全嬰方跋」中論述的「宋槧本《全嬰方》」，确係我國早已亡佚而尚存於日本的珍貴醫學遺產。又如卷上「《産家約言》序」評曰：「斯述祖傳，旁稽群籍，言約而旨詳，義精而法便，可謂其用心勤且至矣。想夫使閨閣之子、閭巷之婦一覽是書，知順天致性之法，不但免夭殃，則廣繼昌胤之功，寧細細乎哉！」通過多紀元胤對日本醫家足立長雋《産家約言》的評述，可知該書内容詳實精當，理法俱備，對婦産科疾病的辨治頗有幫助。

（三）引據宏富，考據翔實

在《柳沜文藁》收載的各篇序、跋中，多紀元胤博引諸家之言、經籍之論，采用訓詁、校勘、考據等方法，不僅詳述著作的撰者概況、内容特點，品評得失，更涉及版本流傳及收藏等問題。同時，著者還引據衆多文獻，詳細考證了部分疾病的病名沿革及其他名物。例如，在卷下「癥瘕考」中，著者旁徵博

❶ 職延廣.宋代文獻《全嬰方論》初考[J].中醫文獻雜志，一九九九，十七（二）：一一一三.

引，詳考「癥瘕」之沿革，「虞庶《難經注》：瘕者，謂假於物形也。又陳言《三因方》：瘕，假也，假物成形也……巢元方云……夫《内經》有水瘕《靈·邪氣藏府病形篇》、石瘕同《水脹篇》、慮瘕《素·氣厥篇》、血瘕同《陰陽類論》之語。倉公有蟯瘕、遺積瘕之稱。仲景有生蟲成瘕之説……若鱉瘕《搜神記》作鱉癥《病源》，氣瘕《肘後方》作氣癥《脉經》……《説文》瘕，女病也。張子和又云……虞摶云……劉純云……執《内經》帶下瘕聚《素·骨空論》、七疝瘕聚同《氣血論》之語爲之證左……其爲聚散之義，始見於《五十五難》暨《金匱要略》。而瘕聚，猶言積瘕《史·倉公傳》……據《内經》疝瘕少腹痛《平人氣象論》《玉機真藏論》之語，然是疝兼積者，猶厥疝《五藏生成論》、癥疝《脉經》之類。《淮南子》：病疵瘕者，捧心抑腹。《劉氏新論》瘕疾填胸。可觀瘕又非疝矣。」可見，著者爲考證「癥瘕」一證，縱覽《黄帝内經》及漢·許慎《説文解字》、司馬遷《史記》、劉安等《淮南子》，晋·王叔和《脉經》、葛洪《肘後備急方》、干寶《搜神記》，北齊·劉晝《新論》，隋·巢元方《諸病源候論》，南宋·陳無擇《三因極一病證方論》，明·王九思輯《難經集注》等十一部著作，復引張子和、虞摶、劉純等諸多名家之言，全面梳理了古人對「癥瘕」的認識，其治學之嚴謹、引據文獻之廣尤當爲現代研究者學習借鑒。

（四）梳理全面，論述精詳

多紀元胤在本書卷中的「《痘疹全書》跋」中言《痘疹全書》，「此爲銅壁山人之原本。而山人是書，後人肆加竄亂者，殆至數四，始萬曆中，臨清邢邦合爲三卷，梓以傳之。邢序標云：《秘傳經驗痘疹方》，卷首題云痘疹賦上集，次卷又云痘疹治法。明·無名氏有《痘疹良方》，始卷即《痘疹寶鑑》，次二卷爲此書。又新安吴勉學輯入於《痘疹大全》中，爲古羅密齋萬全所著。自後清鶴湄張仲琮遂挽之

《密齋全書》，改名《痘疹片玉》，其誤書缺葉，俱不耐視，乃山人之書殆將澌滅。今據趙裕此刻，始得一掃烏焉之訛，復其舊觀矣。」元胤此跋，對銅壁山人《痘疹全書》的傳承流變經緯進行了詳細的説明，具有版本學及目録學意義。又如同卷「宋槧《史記·扁鵲傳》跋」曰：「考其標註，蠶頭細楷，朱墨爛然周遭於烏絲欄外，而不記何人所識，中多有幻雲譾文，乃知係其手迹。」此處詳述該書的版本特徵，分析、推斷注者，并提出了自己的依據。且宋槧《史記·扁鵲傳》及書中的幻雲注，是極其珍貴的醫學史料，對研究《史記》的版本、考證其他諸多醫學問題都十分重要，歷來深受學者珍視，而多紀元胤題寫的跋文更是研究該書的重要資料之一。

（五）闡發醫理，精當獨到

多紀元胤在本書中借信函闡述了自己的一些醫學觀點，其中不乏獨到之見。與他有書信往來的曾槃（占春、士考）、奈須恒德（玄盅）、多紀元堅（茝庭）、山本惟允（恭庭）等，多爲當時的醫藥名家。多紀元胤與他們分別討論了東西方醫學的差异、人體生理病理、醫書版本等問題。例如，曾槃是當時著名的本草學家，爲江户本草學派的代表人物之一，撰有《本草綱目纂疏》《藥性討源》等書，畢生著作等身。在《柳沜文藁》收録的「與曾士考論《藥性討源》書」中，多紀元胤與曾槃探討了袄胡（西方）醫學與軒岐醫理的差异。元胤認爲，「《内經》之書……其宗旨則在昔名醫之所傳，其論公正，在我醫家，實爲萬古不磨之典……古人説藥物性味之祖也」；而袄胡醫學之理，「非目可視而耳可聽，舌味之而鼻嗅之，手之所運，足之所履者，不能究其旨趣也……蓋袄胡之所長，算步、曆象、製造器械者，抑亦技巧之流耳，以是推及於人體之理，則其勢不得不剖解肢體，求疾病所由，其吊詭怪誕，莫甚此矣」；且日本與茯胡之地語言不同，譯書恐不能精曉原意，「故不可信」。因此，元胤批評曾槃《藥性討源》一書對《黃帝内經》之理「闇而勿道，僅摘其一二」「多有采録茯胡吊詭之説而忽弃軒岐公正之論」，希望曾槃能歸於軒岐雅道。

《柳沜文藁》書中還收載了四則醫案，反映出多紀元胤治療某些疑難病证的實踐經驗和醫學主張。如卷下男子素蓄水癊致危案，「一男子年十八，初因外感，醫用葛根湯汗之，邪雖稍退，往來寒熱，心胸煩悶，食餌不進……脉浮數而弦，綿弱無力」，詳細討論了患者症狀、經治失治的情況。又「按：是非醫者鹵莽投劑失治，乃藥力不能以敵邪者也。蓋形體圓融而血脉通暢，加金甌無一缺傷，及乎一旦有隙，害之者易乘焉。今此病人素畜水癊，寒邪乘隙，未致内陷，胃中虚冷，下焦之陽，迸散於外，上焦之陽，霍然成實，火氣浮越而所致也……因擬用既濟湯加黃連、五味子。此方蓋附子大熱，逐散虚寒，伸發真火；人參同麥冬，大補元氣，且生津液；竹葉之凉，清上焦之火，消痰止渴；半夏以利水癊，下逆氣。加黃連以消痞硬，粳米和中調胃；加五味潤肺止咳；甘草甘平，令諸藥調和，從其材力。此則混用寒熱，兼補兼瀉之劑也。如是庶其令元陽恢復，胃氣和調，則形體圓融，血脉通暢，或見再生乎」，詳細分析闡述了上述病案的臨床表現、病因病機和理法治方等。

（六）墓志銘文，綜論醫家

書中收載的三篇墓表、塚銘，涉及與多紀元胤相熟相知而後世無傳的三位醫家，即：池原良章，字伯文，號雲山，撰有《傷寒論大疏》《傷寒論衍義》；三浦真，字伯誠，號無窮翁，撰有《藥能反正》《醫事内言》；軒村主善，名寧熙，字世緝，號歸然，撰著《鑒定傷寒論》。如卷下「雲山池原君墓表」載：

「君諱良章，字伯文，東都人，雲山其自號也，世以醫爲業，至祖考諱良善，自布衣擢爲侍醫，尋任尚藥，叙法印，號長仙院……君幼岐嶷，好讀書，十行俱下，從錦城太田先生而學，善詩古文，以淹博稱，性恬退……所著有《傷寒論大疏》二十卷，《衍義》四卷，嘗賦櫻花詩……」多紀元胤爲池原良章撰寫的這篇墓表，是稀見珍貴的醫學人物史料，對後人考證醫家池原良章的生平與著作很有幫助。

（七）精選詩作，抒發志向

書中載輯的多紀元胤詩作，情景交融，表達了他平生的追求與志向。如卷下《閑居》詩云：「客絶柴門雀可羅，心於世事盡消磨，芭蕉夜雨藤蘿月，惹得詩魔與睡魔。」此詩韵脚工整嚴謹，表達了多紀元胤渴望閑散、灑脱的人生追求。又如同卷《無題》詩言：「此心清絶事千千，一架琴書自耐娛，笑殺人間蟲豸輩，終身甘作守錢奴。」《大言》詩吟：「仁義説處魚千里，物我論來貉一丘，點撿人間兒戲耳，到頭贏得是巢由。」這些詩作反映出多紀元胤内心清高脱俗，生性細膩多愁，嚮往恬淡閑散的歸隱生活。

綜上所述，《柳沜文藁》係多紀元胤的文集，廣納「序」「跋」「辨」「考」「醫案」「書」「墓表」「詩」等多種形式的内容，從不同角度折射出多紀元胤精於考證、引録廣博、醫術精湛、學驗俱豐的學術特點，不僅在醫學文獻研究上具有極高的價值，亦有助於學者瞭解多紀元胤及相關醫家的學術主張、成就特色等。

四　版本情况

《柳沜文藁》收録的醫論、雜文及詩作，由日本名醫多紀元胤創作於日本文化二年至文政十年（一八〇五—一八二七）間，至今未經刊刻，現存幾種鈔本，分别藏於日本國立國會圖書館白井文庫、京都大學圖書館富士川文庫、早稻田大學圖書館、東北大學圖書館狩野文庫、縣立長崎圖書館及學書言志軒。❶

本次影印采用的底本，爲日本國立國會圖書館白井文庫所藏鈔本。此本藏書號「特1—959」，三卷二册，四眼裝幀。封皮題寫「柳沜文藁」書名及卷次。書首無扉葉、序文，書末無跋。正文前載「柳沜文藁目録」，記其卷次、類别及題名。正文各卷之首題署「東都丹波元胤紹翁」。全書抄寫在事先刻印成的紙張上，四周單邊，烏絲欄。正文每半葉十行，行二十四字。版心白口，上單黑魚尾，書口下部刻「聿修堂藏板」，未標注卷次及葉碼。書中的正文以朱筆批校，以「、」句讀和標記删減，以「—」標識人名和書名。此外，書中若有錯訛之文，則以朱筆「○」「—」點畫該字，并在當葉上方以朱筆眉批形式予以修正。

總之，《柳沜文藁》集日本著名漢方醫家多紀元胤之醫論、雜文和詩篇，涉及中日諸多名家名著，反映出多紀氏家族在醫籍整理研究和傳播普及方面做出的重要貢獻。本書討論的諸多醫學問題，内

❶ 〔日〕國書研究室.國書總目録：第八卷［M］.東京：岩波書店，一九七七：六七.

容豐富，考證翔實，闡論精當，既有理論，又有實踐，具有極高的文獻學、醫史學和臨床研究價值。此外，書中詩文多與元胤生活、交游有涉，對於解讀多紀元胤本人亦頗有助益。

曲　璐　蕭永芝

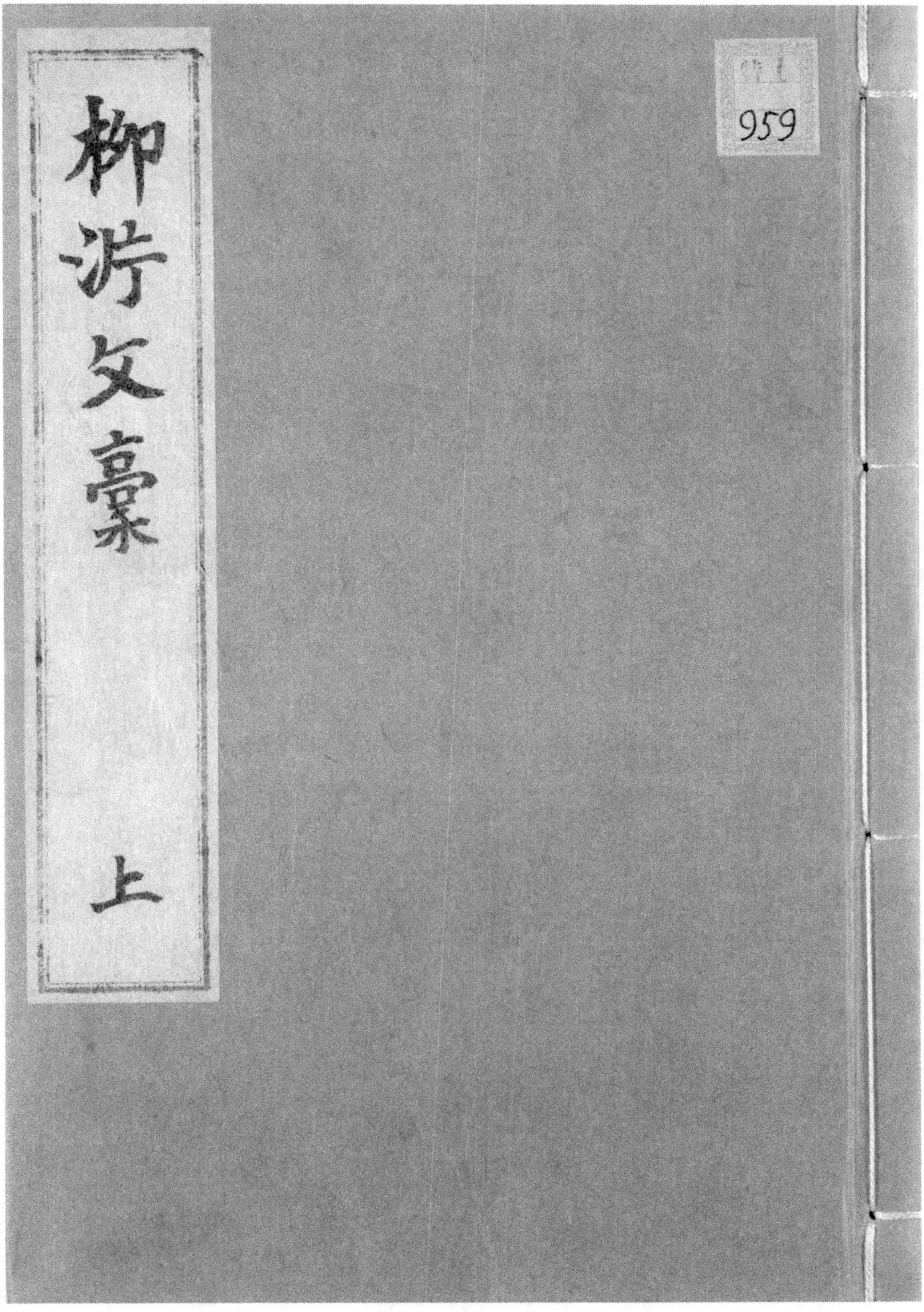
柳汧文稾
上
959

柳沂文稾
巻上
特1
959

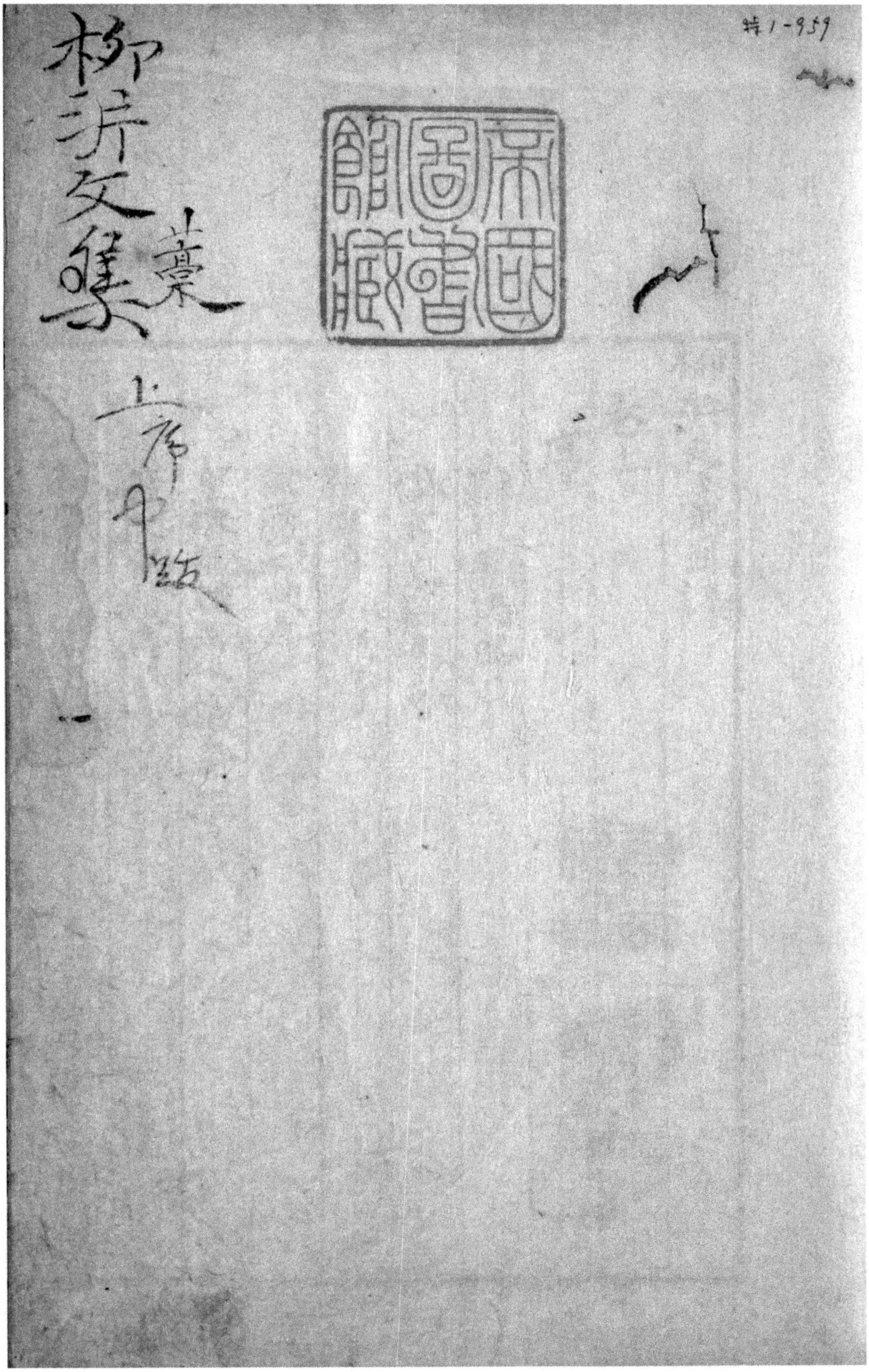

柳汧文集 藁
帝國圖書館藏
特1-959

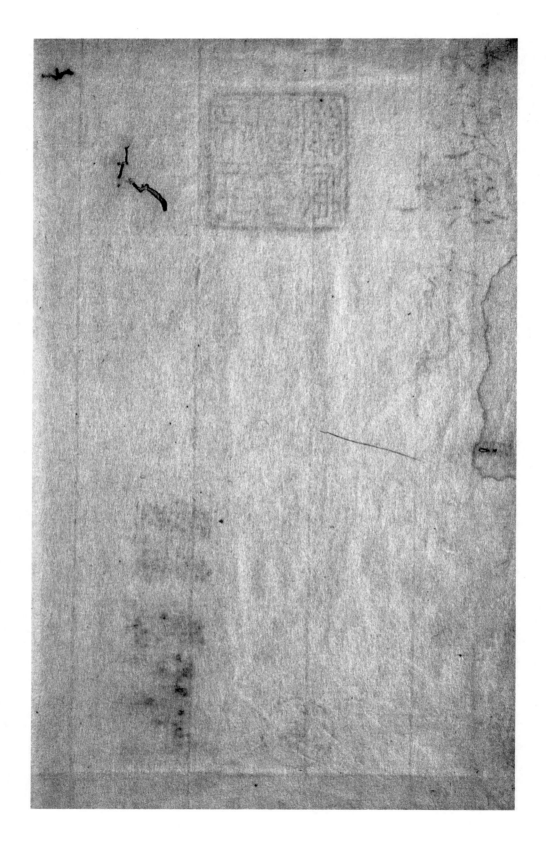

柳沂文稾目録

卷上

序

聿修堂藏版

卷中

跋

[illegible][illegible]堂藏版

卷下

辨

考

崔錫考

徐氏世系考

醫案

婦人懷姙脚腫案

男子數歲患疝案

男子脚膝緩弱案

男子水癊危症案

書

與曾士考論藥性討源書

又與占春書

與山本恭庭論諸病源候論書

與山本恭庭書

再與山本恭庭書

答奈須玄盅書

答茝庭書

墓表

雲山池原君墓表

三浦無窮翁墓表

軒村主善遺稿塚銘

詩

附録

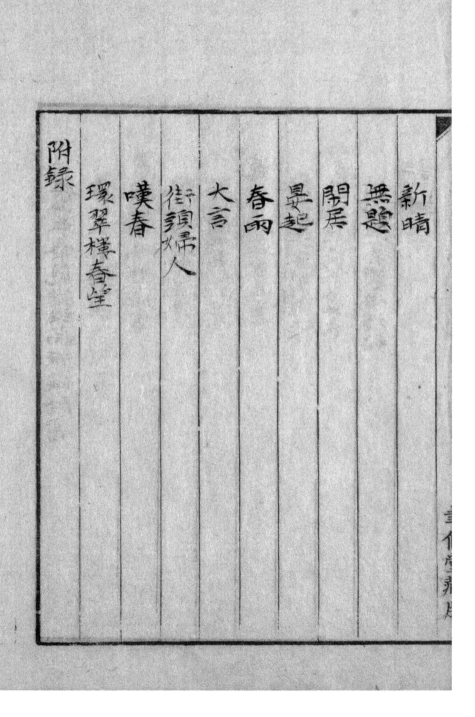

贅筆

[illegible]堂藏板

柳沂文藁卷上

東都　丹波元胤紹翁

序

難經愚得序

先子嘗謂近世醫學之書當以服子溫難經愚得爲翹楚矣乃於所著醫賸載其借救況診之說謂闡千古之秘蘊矣余後講難經於家塾執諸家註解之書沈潛玩味以尋指歸雖一二有管蠡之見所得未敢自以爲是焉竊意與若子溫其人者以爲論定而不可得又欲見其書而不能得也頃日子溫次子天祐將付之梓因一門人乞序於余余欣然受而觀之析理之剴

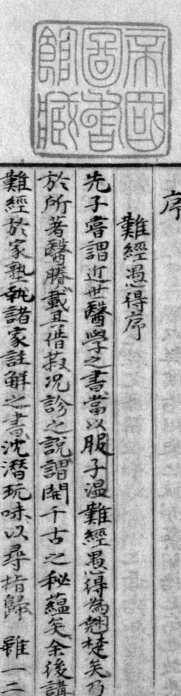

切持論之起卓余嚮所是而得其辨後知為謬者有之余嚮所
不取而得其鮮後反可以信者有之子温之於此經可謂用力
矣於是予始知先子之所以深賛子温而慚余識之未精掩卷
以三嘆矣然柳亦有說三難曰脈有太過有不及有陰陽相乘
有覆有溢有關有格呂氏註遂以關格為脈候其義與靈素二
經及史倉公傳所稱似枘鑿不相入子温亦致疑於斯然未有
歸一之見以余考之經文答辭與黄岐倉公之旨殆無異趣蓋
此段診尺寸二部以詳陰陽相乘之脈而察關格之病也故其
設難謂是似一脈有四名者何其答辭始舉關之前後中明陰
陽之位次以過之與減解大過不及為脈之形勢以上魚入尺

又解覆溢為脈動進退之候而後釋其義曰是因内外關格之病所成則陰陽各乘其位者非一脈有四名也三十七難亦據靈樞脈度篇以關格為陰陽俱盛之病其意可見焉八難曰腎間動氣註者殊多異義子温亦謂活動不息之氣其下曰腎氣而曰腎間動氣者以能兼有水火陰陽之氣故也以余考之當呂氏註為長蓋氣衝之脈起於兩腎之間而為五藏六府十二經之海故其所主氣為呼吸之門然太衝之地非目之可得視焉手之可得摸焉者乃雖越人之明悪知有跳動之氣起于此耶然則所謂動氣也者何萬物之理静者為陰動者為陽是則天一資始元陽之氣實為生命之根矣三十六難曰右腎為命

門子溫引王叔和孫思邈及道家之說以爲胞門子户爲有狀之三焦以余考之靈素八十一難中所稱三焦自有四義不可綴合爲一蓋有爲水穀之道路氣之所終始者有專指下元之氣化而言之者有爲手少陽脈氣所行之經者若夫爲有狀之三焦者唯指膀胱一府而言之非別有一形而固與命門不相干也又經文明言命門女子以繫胞則叔和因推其理爲腎部脈位之候似非直以命門爲子户者矣是則余竊管見所得於子溫之說有相左者也嗚呼余生也晚矣憾不得與子溫同其時而先子謝世于茲十有餘年中心所疑質諸何人耶於是乎更掩卷以三嘆矣夫子溫之於此經其詮釋明悉實多古賢未

道之義而今余爲此說者非敢爲子温樹牙頰以相搘拄又唯資性檮昧不能自決其奈何也是以及序子温之書併舉書之御正於後之君子旹文政四年桂月念五日東都丹波元胤識于心跡雙清之堂

傷寒來蘇集序

張長沙傷寒論一書爲註解者金源以來亡慮數十家若柯韻伯來蘇集其識卓而旨明足以津逮乎長沙之源矣蓋韻伯之編是集原于崑山王氏鄭溪黃氏之說其意以爲長沙之書自叔和撰次其舊不可復見因據長沙有太陽病桂枝證柴胡證等辭乃宗其義以證名篇方隨附之脈法有相合者以類掇入

首立總綱一篇至辛可汗不可汗等篇及六經中可疑者祧而不取且其書中不冠傷寒二字者以爲長沙雜病之論也以余考之長沙著書之意不過隨證立方欲每條詳著使醫藥勿錯焉耳蓋隋唐之際江南諸師秘惜其書雖巢元方孫思邈猶不見完帙魏徵等修五代史志誤以爲亡則其不絶若線藏之者或傳寫草書或蠹蝕編斷中間不能無舛缺是以書之無定序者非唯叔和纂之後之輯其書者斷章摘句剪綴排纂以角勝于叔和惡知反失長沙之舊矣韻伯是集亦雖屬于專肆其註辭獨出新裁不苟依樣前人又著附翼論翼三篇以述賸義即於長沙之旨實多所啓發近日唐笠山訾其立言雖暢不免穿

鑿然非菲枕窮年有講明入理之處曷克至此韻伯曰仲景沒
而岐黃之道莫傳千載無真醫矣此愚所以執卷長吁不能已
於註疏也想見握槧之時意蔑諸家眼空千古其言雖誕或有
不可誣者歟先君子嚮命及門之徒令付重彫今茲告成余於
是乎揭其大旨示諸于世若夫欲讀長沙之書者先執是集而
熟玩沈思則庶乎可以沿流究源至其編劇失舊而以致誚矣
旹文化甲戌菖節東都丹波元胤識于心跡雙清之堂

傷寒貫珠集序

西城侍醫小川君汝菴據胡星池唐笠三等言知尤在涇著有
傷寒貫珠集令譯官陳維賢囑吳商而致之聞者爭先快覩君

不敢私秘速付之梓授余序之余熟讀再四掩卷而起曰古人註張子傷寒論者既無順文釋義之弊克闕守陋襲謬之説旨義明晰別開生面者柯韻伯來蘇集是也割裂舊章以爲類纂雖不免妄改古書之責錯綜有條端緒井然足以爲臨局施治之便者錢天來溯源集是也蓋二家之集精則精矣奈何博辯冗議讀者不能驟窺其要焉在涇之書其説多原于韻伯其分治法傚天來而變其例更出新意以啓發之辭約理該直截易了雙珠一貫斯供把玩是亦活人之手段也夫傷寒論註之者彼此攻難後生不知所適從故在涇就柯錢二家之集擇所長而述之在于使人知捷徑其於診療之際也實有裨補矣往歲

余序門人川出龍山義重刊心典慫慂以更行是書然未有見爲憾焉今君遠求之于溟渤外出以濟同好其為志也可謂篤矣余有深感于斯而又喜余前言之始償不堪欣然推在涇編著之意記之卷端云文政十年歲次丁亥仲春廿有六日東都丹波元胤書

金匱心典序

古人之心可以印乎後人之心矣後人之心不能以印乎古人之心矣夫古人立言以遺典型者其爲理也亘千歲而不磨焉後心誦之而不能辨別之而不能彰著何是不唯其学之不博其識之不高柳古書之存乎後世者邈焉歷久傳錄屢更則悉

得無僭議之患耶若劉向校尚書而論脱文鄭玄註王藻而疑錯柬去古未遠失真至此則宜乎千載之下學者有不能明其理者矣南陽張子金匱方論者雜證經方之祖而為亘古不磨之典然隋唐之際顕晦不一宋王洙在舘閣日所得僅止三卷題以要畧已非張子撰用之舊至孫奇等校正更為刪改又非王氏所得之舊乃其為書變為亂脱不完之篇則後人遂有不能詳其意者矣特吳下尤在涇心典一書融會疏通辯證有據錯者訂之疑者闕之於其理療之法能貫徹源流為後学之津梁然則謂之印古人之心于千載之上而可乎在涇就韓伯休術欲晦姓名善詩不求人知嘗寓臨頓里周迮村至自東里與

之唱和時人以比皮陸而重其詩者又稱得唐賢三昧云則風流閑雅非方伎之徒其學識之粹可想也門人美濃川出瑞圖義一日謂余曰僕不才夙讀張子方論苦不能通曉得在涇之書而蒙辯理彰始知古人典型固存乎天壤間其蘊而不露者責在後人焉耳唯以其流傳未廣將重雕布于世先生豈弁一言乎余欣然嘉其志且諗之曰在涇所著別有傷寒質珠集唐太烈彙講載其書謂丞正治權變斡旋救逆等法實古來未有之書若喻氏尚論較諸亦相逕庭矣余每憾溟渤之外難以得一見他日儻有附吳舶而來則瑞圖又上之于梓與是書並行宛然雙璧活乎後人其爲功豈淺淺耶瑞圖勉乎哉 文政六年

聿修堂藏版

歲在癸未暮春既望東都丹波元胤紹翁識

重雕補註銅人鍼灸經序

侍醫澁園山崎子政先生嘗獲金大定書軒陳氏新刊補註銅人腧穴鍼灸經付之翻雕請先子弁一言稿未及起一疾謝世於是使胤代而題之胤以其辭懇不憚檮昧乃爲之序先生嘗謂凡明堂孔穴之書以手足三陰三陽合於任督二脈排爲十四經三百六十五穴者實肇於宋王氏惟一矣是書上證之靈素甲乙以討其源委下參於後世諸家明堂之書以鏡其傳失孔穴分寸經脈流注之說最晳詳核未有若此者也元忽氏公泰撰金蘭循經其書佚而不可見焉今按滑氏伯仁十四經發

揮所援其說其文與是書寃相洞契則知忽氏以此爲祖焉而滑氏雖未嘗夢見然一準于忽氏循經則其實亦出于是書矣世醫講其学者率以滑氏發揮爲金科玉條而不知其說肇於鍼王氏也嗚呼崇其末而忽其本可乎先生夙承箕業発精於鍼石家善手爪之運蓋其爲術原於王氏之書是以鍼刺點灼之際悉執是書爲章程遂研覈其義闡發其奧以著彙考十卷可謂篤其業矣今所以有斯擧者亦唯欲以其所驗諭諸于世醫之局守滑氏發揮者霍然醒眼始知是書之可崇矣夫王氏當于仁宗天聖中奉詔鑄銅人式又纂集舊聞訂正紕繆以爲是書而循經發揮并以此爲藍本則其戢旨詳核可以推知而先

聿修堂藏版

生用爲章程諭之世醫不亦宜乎先生嚮與先子膺
台命倣天聖之制範銅肖人內設腑臟骨骼分布經脈孔穴于
周身畫之竅之工竣上進稱
旨被賚是神機堂於醫學濟壽殿側以置焉嗣後欲獲是書善
本以傳世今時所行者止錦城徐氏三友本耳若明正統石經
其制雖雅古精妙舛漏錯出全與徐本同泐缺頗多長有都數
一編未足取據於是廣訪徧搜遂獲陳氏所刊書凡五卷謹考
之宋藝文志晁氏讀書志并作三卷今卷第不符其目又有無
名氏補註乎水閣邪贖嘍所贅鍼灸避忌太一圖雖卽非天聖
之舊較之從前衆本字畫端整古香馥蔆撲人則以未見宋歟

[illegible]備堂藏版

不可爲憾矣先生讎雕此刻書中字句一依元樣無所妄改參訂衆本以附考異其舛漏錯出者盡刪定之文順義從汛掃烏焉之誤矣其意蓋在貽範於將來使後世醫流益知是書可崇尸傳家誦考經按圖無獲致孔穴乖錯焉若所著彙考藏之篋衍不敢視人其存古自讓之意可深欽羨爾竊惟

國家昇平日久聖教覃敷瑯環宛委之秘珍編奧牘陸續並臻者實難待

昭代而出柳孫于後人發其幽光潛德也然則先生之標揭是書亦可謂贊

贊古右文之盛矣僴才蕪識拙文辭荒陋惡足表揚此舉以副

先志乎慨趨庭之難再而斷析薪之不堪荷援毫以發一喟而已矣文化甲戌春正月望櫟窻後人丹波元胤紹翁譔識

崔氏食經序

國朝古書旁援崔禹錫食經然其書佚亡已久從未審修乎何代而所載字訓較諸本草及小學之書有不同者是以世或不爲信矣余考隋書經籍志有崔氏食經四卷不著其名藤原佐世 國朝現在書目曰食經四卷崔禹錫撰乃知其爲隋以上人所撰北魏崔浩又著食經書凡九卷唐書崔融傳融六子有名禹錫者別是一人俱不可以混也蓋禹錫之書以菌爲茸芰爲辛菜萍蓬爲骨蓬款冬爲蕗斑鳩爲鵤吉天子爲雲雀秧鷄爲

鼁鳥棘鬚魚爲鯛赭鱸爲鮭香魚爲鮎之類是擧當時之名稱
而所記後世学者遂失其傳猶篁之爲竹田鼠之爲猛風帳之
爲簿六朝聞之稱今人視爲國語也醫官田澤君温叔頃就古
書中録出禹錫之説裒爲二巻刊之於其所輯醫家奇賞丙集
雖未爲完裒足以知鼎味矣夫五穀爲養五菜爲助五畜爲益
五菜爲充軒岐屢論其功矣和王之食飲膳羞醬珍者周制官
之以醫矣劉歆方技畧有神農黄帝食禁七巻隋志醫方更著
食饌之書數部則食治之法亦是斯道之專務而所謂爲醫之
徒洞曉病源知其所犯以食療之不愈然後命藥者其言可以
徵矣温叔纉箕業篤志好学今刊是書其有見于斯歟固非世

之榨茶經推花曆供一時賞翫之比也文政四年歲次辛巳冬
十月初六日東都丹波元胤紹翁序

聿脩堂藏版

和劑局方序

宋太平惠民和劑局方近世通行止于宋李增添之本而不唯
大觀中陳師文等所重修者既致遺佚則併許洪註本不復可
覩也先君子所儲已有十有三部然猶以此爲憾焉乙丑孟冬
姬路大夫川合元昇購茲本于西京書坊千里郵致以贈先
君子先君子得之球璧不啻以爲寶櫝之秘矣蓋其爲卷凡五
分門凡二十一録方凡二百九十七道乃與宋史藝文志陳振
孫書録解題王應麟玉海所載契合而附紹興續添諸家名方

则雖非許都重修之舊，其烟楮精潔，實爲南宋槧本也。按茲本無序及目録，出于不知何人之手。考許洪序稱其諸家名方者爲吳直閣所附，許作是序在于嘉定改元，則茲本修自吳直閣，而其爲高孝兩朝人可知也。而陳氏書録解題有諸家名方二卷，稱福建提舉司所刊，市肆常貨而局方所未收者，然則吳直閣所附寔採録其編者歟。牛黄清心九一方，周公謹癸辛雜識嘗云其與山芋圓參錯，今徵之通行本，自牛黄至蒲黄已十九味，而茲本則否，前八味爲牛黄、金箔、麝香、犀角末、雄黄、龍腦、羚羊角、蒲黄，後廿一味與大山芋圓同（但有黄芩無地黄爲異耳），乃的符于公謹之言。夫古人之制方，炮製增損，斟量是慎，况至于方劑差謬其所繫不爲細故今若茲本非徒家藪可以珍重也是故先君子收儲醫經經方之書必貴真本者豈啻類藏古玩家僅得紫窯殘器奉爲至寶耶夫局方之書朱彥修發揮其過用香燥然其編也朝廷盡撰通醫使之校正則雖有過于粉飾者真驗之方亦必不少所謂後活人勿知其幾者殆不誣也豈可拘鄙閑彥修之言束之高閣耶石門劉氏景岳張氏嘗備辨之而至茲本固非宋季增添之比實醫家罕覯之書也曬曝之餘敬識其由併闡先君子儲書之意告諸子孫云文化丙子七夕東都

丹波元胤紹翁書于醫学官廨

合刻盧施續易簡方序代侍医啓俊院山本君

爲

宋王德膚著易簡方時喜其便於尋檢盛行之然僅僅三十方雖之增損不能以該衆病故或有不滿人意者是以孫志寧修補之盧祖常施政卿攻排之係君處吏有歸一之作令孫徐之書久已佚亡若盧施二家從罕知之者予夙聞秘府有施書及撰內班恭申請覽之蓋係欽存卷首有金澤文庫印記是北條氏從宋板影摸者逮録其副藏之盧書借欽浪華木世肅孔恭所藏宋板於外弟丹波廉夫於是雙璧宛然歸我架中而後時披閱之有於診療之理得其啟牖者因思天祿之秘人間所不得窺焉世爾藏書及其沒儒家入于國学醫家入于醫学既醫学遇災則其書也予而不傳之種子殆將絶矣乃校訂譌字付

聿修堂藏版

諸葛氏考盧施與王俱為永嘉人盧云必癖於論醫吾鄉良醫陳無擇先生每一會面必相加議予王亦為無擇之徒處州府志陳無擇傳曰其徒王碩作易簡方并二論行於世則王盧非眉睫不相接者施云予與德膚登歲有半面之好此以同里之人攻同時之人抑亦奇也且盧之書激詞推鞫施則溫言諷刺要之於德膚之方不特規其過至所辨論有補其不逮後之讀者互相考鏡未必可為僅僅方藥所設不博則祖常政卿謂之德膚之益友予可也

傷寒廣要序

余弟亦柔夙承箕裘與余同硯席交師友議論切劘矻矻窮年以研方術為念頃著一書謂余曰傷寒之為病也自古稱以大

病謂爲難治南陽張子所以傷宗族之淪喪慨時士之蒙昧尋古訓以定經方也苟志于醫者固當究之急務孰不講明其理乎然退而思繹歷代諸家治傷寒之法似不甚通曉張子之意先君子所編輯義芟除轇轕精義入神經旨於是無復餘蘊第更憾古人之爲其說者雜糅多岐有使後学猶不得闚張子之門牆者蓋軒岐所敘秪是熱病表陽裏陰以分六經準日期擬汗下言常而不及變舉綱而不及目張子獨類長之以陰陽標寒熱以六經配表裏虛實常變兼該細大不遺立名約而析事詳使人易辨識但總外感而名傷寒先聖後聖其揆一也後人不察張子内經兩途分鑣之故彼此傳會強配其目又不知

聿修堂藏版

傷寒為外感總謂或論時令實求邪氣以立名類若夫據當時流傳之證與自己試驗之方以為一家言有強辨奪理眩人心目欲高駕于張子之上以律千百世者於是爾來醫流或尊一繼稱之小宗而置太宗乎不問或自命大高徒懸揣經文不知旁涉群典以為會通張子之微言奧旨幾熄矣要之宋以上則因循舊習金源以下則務標新異然至其深造自得之妙則所謂治彼雖偏治此則是者未知不補張子萬分之一而有功于捄生也弟不顧謭劣竊裒諸家之要而成是編以其廣經旨題曰廣要然豈敢謂列于作者之林不過為自驗學術之地與併備及門之學檢而已余執而閱之書凡十二卷為篇凡十有四

其所採錄凡一百五十餘家詮次排類原之經旨自診候平證以至飲食將養之法莫不賅載其醇駁異同之際精汰嚴收去取有法而不敢贊一辭于其間意在于尊古也亦桑爲人清修謹飭不類余落然宜乎擇言之精援證之確至于斯矣夫傷[搭]寒之證有眞假而表裏虛實固無定局治有權宜而補瀉溫凉又無常套自非平素講求探其理致則於見病知源之理未必能有所領會爲亦桑克踵先君子輯義之著而爲此舉其意微矣余今更記亦桑之言以爲之序諭後之讀是書者云文政丁亥仲夏朏胞兄元胤紹翁識于蒼雪山房之南軒

治飲畢功序

°鑿

飲之爲病也在乎肌皮之内腸胃之外汪洋浸淫變證錯出不
可以一隅概之其治之之法固爲難矣是以軒皇之書嘗爲講
及張長沙雜病論淡飲一門分名辨證設驅除濬導之方其示
人以不易治也奈何後世醫家專于治痰而治飲之方漫不屑
意夫長沙所謂淡飲是四飲之一淡淡然在腸間以爲患者字
本從水不從疒也釋氏說四百四病百一爲痰患琳著一切經
音義詳解其候爾來醫家之論病情者多屬之痰至王中陽養
生主論鑿議之龔居中點雪柔学孟穎門遂以勞瘵稱痰火蓋
蓋不知痰之爲病要是嗽上氣類而在昔聖醫之所未明言今
攻其末而遺其本抑亦考核之不精也東都樋山子弘著治飲

事倚堂藏版

畢功一編請序于余余受而閱之其說也遠溯乎醫經經方之書洎及于唐宋以還名醫之論以所歷治徵之論求原委辯晰證候於治飲之法多輓近醫家未道及者可謂勤矣且曰痰字六朝間俗文而其病與飲之變證錯出者不同則子弘之為人讀書診病具慧眼者可想也余於是乎更論痰飲二病之候皇張其說以諗世醫矣嗚呼觀今之醫或治不原古診處肆臆施苟且嘗試之方其立言著書亦唯弔詭怪誕均是無師之術而實斯道之一厄也余讀子弘此編喜有與鄙意相契者視諸世之兇兇者不可同年而語也後之覽者原其說驅除濾導隨證施行則治飲未必可為難矣此編也其功可崇而其論不可畢

也文政庚辰臘月廿有七日東都丹波元胤書

的治良方序

隣人袖一編而過曰此予老婆用心欲普渡衆生于苦海中顛得子斐章使壽剞故物以生彩華即執閲之其編所纂單方特味譯以國語易製易得最便俗眼想遇倉猝疾苦之際一披尋披即躑躅乎村園籬落之内掘根擷葉咄嗟可辦雖牧豎紅女足以成醫實爲普渡衆生之慈航寶筏矣是所以不憚蕪詞欣然序之也隣人爲誰蕙畝小野士德也序者爲誰柳浒醉漁元胤也己巳春孟于讀未見書屋曝背而書

劉涓子鬼遺方序

瘍科古方之書寂焉莫聞其存乎今者唯宋劉涓子鬼遺方而已然其得書之跡特屬弔詭而史不立涓子傳故或以涓子爲烏有遂以此書付齊諧諾皐之談矣余謂是未精考者也按晋書譙忠王尚之傳王國寶之被誅也散騎常侍劉鎮之彭城内史劉涓子徐州別駕徐放並以同黨被收將加大辟尚之言於會稽王道子云刑獄不可廣宜釋鎮之等道子乃從之又宋書営浦侯遵考傳又涓子彭城内史夫國寶以安帝隆安元年被誅與宋武帝受禪相距二十餘載則符於從宋武北征云者而國寶又爲丹陽尹則晋末於丹陽郊外照射者亦從國寶在丹陽者乎是其事鑊鍼孔相對則其人固非烏有列仙傳載涓子齊

聿修堂藏板

人好餌朮畜食養精至三百年云云是乃別一消子或以為撰此書者誤矣而晉宋之俗好設虛辭幻造怪学荒唐不經每蒐人目若洞冥幽怪拾遺搜神之記疊架相重且得書之跡雖屬弔詭是亦弊習之所使然且黃父鬼見于劉敬叔異苑則當時有其怪故假以神其書焉耳太平御覽載龔慶宣序云消子用方為治千無一失演為十卷隋唐志並云劉消子鬼遺方十卷龔慶宣撰而今所傳僅五卷其餘蓋係佚亡然錢遵王讀書敏求記稱鬼遺方五卷是極為奇秘收藏家罕見之本別有治癰疽神仙遺論一卷與此同宋鈔皆宜錄副本備之以此觀之其係佚亡業已為久矣此書文義雅古方論精要若求不

分蒼白瘂作痓疹作軫等可見非後人之所僞撰且陶貞白肘
后百一方援引此書其作手晉宋間可知矣然雖實出于消子
又有後人之所改竄隋唐志並云龔慶宣撰及齊永元紀元無
名氏序稱草寫無次第今輒定其前後族類相從為此一部則
知非復消子之舊矣頃得清茂苑周氏錫瓚刋本因以陶貞白
王燾唐慎微及遠祖康賴公諸書所引一用照校其僞誤參差
者隨皆改正其方劑奪漏者録出附之雖即未復舊觀孰與守
殘抱缺欝轖不得讀者也夫消子之書以屬弔詭遂付齊諧諸
臯之談其事履莫得詳焉亂謄次之後聊綴于首以為之序庶
使消子之功窐斯顯晦斯光云文化已巳臘月哉生魄識于讀
書巻堂藏版

未見書屋丹波元胤奕祺

聿修堂藏版

瘍府序

余嘗擧衆病名證之異者而商榷之其麗雜僞誤未有若瘍者矣鍼經癰疽一篇已有十又八證嗣此至劉內史鬼遺方巢博士論孫真人書則若一瘻一丁分為數十種目況後世醫家表異呈新紛然致混者乎而推其所以立名析證者或原之病由或取之形肖或以其毒之間迅或因其所發有經脉之隧道膚肉之分部而縷載彪析不遑更僕而數焉余又就今之為瘍醫者問其名證則茫乎曰癰曰丹曰諸瘡耳退視其為治則各承家技因循舊套而察形辨色去腐生肌呼膿止血升降圍熨膏

紕洗屢雖似得其法間有効應而實不免膚淺蓋其麤雜僢誤
者從未有爲之伸一喙以辨晰而今醫亦不自致尋研是以其
蔽流傳狃于所習而措于所見宜其鹵莽至此是余所嘗慨然
發嘆也近日桂川君孟善出瘍府一書謂余曰是書義祖考之
所創編而先考復致葺補以救時師之蔽者將校刋而問世子其
弁一言余受而閲之自古今醫籍旁及諸子百家有諸瘍名證
者鳩蒐鈎剔排纂釐正爲卷凡六分門凡若干所謂麤雜僢誤
者稽其義類而討其證候獲證博贍可謂盡矣讀之者若入群
玉之府而珠璣琅玕琬琰之寶燦然眩人神目又若啟武庫之
鑰則矛戟器械儼乎臚列寒人肝膽無所不有也夫甫築先生

主善堂藏版

讀書精博其術大行于時令嗣月池先生克振家聲其為人又風流温藉以好古淹雅稱乃至海外夷族亦識其名而父子相承顯仕内班矣君今刋是書以公于世使後之業瘍醫者熟諳體認臨病察證不復為蔽習所錮則二先生著書之志班班乎天壤間而其肯構之功不亦偉乎余竊發慨然者於是乎有釋然焉乃雖識劣不文而序其敢辭君實為余叔祖道訓先生子出繼月池先生家亦為侍醫以術稱著文化十二年大歲乙亥孟冬幾望丹波元胤紹翁識于蒼雪山房之南軒

產家約言序

夫婦女之姙猶瓜果之實歟蓋種瓜果者各順其天致其性焉

爾而其爲法也耝之耨之培之溉之木舒之而窠窒之柳樊之而笓架之禁人畜之浪踏治蠐螬之殘蝕加以雨露時降土地特膏則欣欣以向榮碩茂登實蒂脫苞拆不撲而蘊不勞而得矣婦人之娠亦爾而其爲法也調攝以養身安逸以適志慎禁忌戒情慾節動作省喜怒則達生蠡息遂無菑害是順其天致其性者非假草菱樹皮金石之劑而後爾者也世之不知其法者若閨閣之子愛之太恩憂之太切胎不歆而按之摩之身不病而藥之鍼之或閭巷之婦愁患勞碌撓其志意則拆副橫逆使母子遇乎夭殃者不為不少矣家君門人笛山侯醫負足立長寓者有深慨于此頃著一書國書其文俚語其事調攝之法

禁忌之宜斯述祖傳旁稽群籍言約而旨詳義精而法便可謂其用心勤且至矣想夫使閨閣之子閭巷之婦一覽是書知順天致性之法不但免夭殃則廣繼昌胤之功寧細細乎哉旹文化戊辰南至前四日書于讀未見書屋丹波元胤奕祺

孫氏少小嬰兒方序

幼科侍醫岡君勁齋刻行孫真人少小嬰兒方命序于余蓋其意謂漢儒之學師師授受嚴守古訓唐人之疏釋經傳一遵其說儒風淳實不以肆臆新義相竄故聖人之微言奥旨於是乎存焉我醫之於當時亦然則真人所述者衛汎王末等相傳之方論而實原于先秦名醫之遺法也今詳玩之深切精諳可以

稱金科玉條矣世之為小方脈者徒奉輓近方書不知有古方菁華之所萃故揭以諗之余聞之躍然曰噫是豈特嬰兒方乎凡業醫者體君此言以讀經方之書溯其源委求古人診療之法必有所洞曉歟先哲表章子思曾子之言於小戴記中至今與詩書並行則是編傳諸後昆與軒岐長沙之書同為醫家之矜式者可以知矣是予所以於其識見之高深為嘆賞而述之為序也文政丙戌南至丹波元胤書

岡氏育嬰書序

花之發于春者天也火窖暖室使之爛然乎嚴冬積雪中者人也可見人能為回天之功矣兒之在襁褓嬌弱易傷者雖原于賦

命之長促稟質之厚薄又因其保護爲耳幼科侍醫岡君勁齋撰育嬰之書一編救時俗之弊習議醫流之要務言約而事該足以使天下嬰孩永免夭殤矣余謂君曰起死延齡世徒稱金丹大藥今君所著可謂具其法矣若夫使頃刻發花者不特鶴林仙女乎君笑頷之書以爲序文政辛巳仲夏哉生明自然生元胤識于桐竹雙清處

宮崎氏醫書序

問而知之謂之工嬰孩之病不自言所疾苦爲之醫者可不謂之工歟前賢活幼之書固爲充棟其間神方精議如提耳而詔爲執而讀之體認意測驗諸病兒有得于不言之表者豈敢詢

問之必耶幼科醫官宮崎立元頃著一書徵群籍而滙衆方間出新意以論證候已成乞序于余其用力之勤殆與余言符亦足以爲後學之津梁矣噫夫以不工爲工豈存乎其人歟將存乎斯編歟文政五年壬午首夏庚申東都丹波元胤書

纂註痘疹全幼集序

胡廷訓補遺龔氏痘疹全幼録余久藏之未知爲異本一日示之友人池田柔行展觀之餘欣然謂余曰僕世以痘科爲業始受諸承應中歸化人仁和戴氏曼公曼公之在明從龔廷賢而學醫云惡知是書非其所淵源遂懷之而去矣余時疑翁仲仁金鏡録方法與是書同陸道元補遺與胡說亦無少異而明人

痘科之書專載仲仁言罕及廷賢則書坊或托龔氏之盛名爲
斯伎倆者柔行之論未可遽信矣頃柔行從容又謂余曰君所
示龔氏之書實祖傳治痘之法所原而今始得見之可喻龍獲
珠之快也仍舉數證辨其非出于翁陸二家又鳩輯衆說爲之
註解夫是書則龔氏之衣鉢也然失之僕家而傳于君家抑亦
奇也君曷弁一言以贊之乎余於是慚鄙意之失當更就聞其
詳蓋曼公少學舉子業蚤登黌舍時雲林龔廷賢年八十餘尚
強健爲醫曼公從之遊傳其術及明社之屋棄儒冠而隱爲後
來碕嶴其寓於長防間也柔行曾祖嵩山翁學書于曼公曼公
言我知子志乎醫我有治痘禁方書欲悉與子學之三年必臻

其妙遂受讀解驗之果致精通傳至嗣父錦橋先生大行于世一時有神醫之目寛政中應　辟東都拜爲内醫是其所受授若此矣近世小方脈科奉金鏡録以爲矜式亦不知有是書而柔行一見察祖傳方法之粹實存于斯徵之雲林諸編詳其原委更推各書鍥行之歳時辨其後先決然定爲龔氏之書因纂古賢所述之論與歴治所得之見以爲註解將傳之于時師其用力勤矣古人有言非其人勿教非其真勿授是公之於嵩山翁知其所能而與之可謂得師資之道也柔行復克講求祖傳以表章之則其纘述之功豈可不欽挹哉於是乎序之如右文政七年歳次甲申孟冬載生覇東都丹波元胤書于醫學官廨

聿修堂藏版

痘疹彙編序

夫讀書之理與聽訟同蓋甲所持則乙誕之彼所否則此證之紛紛攻難各肆其私是以判其曲直者不能執單辭以定群囂欲勿枉冤而不可得也已古之學者著書立論自非聖賢未必可謂決無舛誤矣後之覽者校異列同參稽衆議平心易氣唯是之求則可以為明體達用之功矣我醫家之書固與儒生措上之談不同其所關實重讀之者廣覽洽達求其指歸以決擇是非不苟立門户之見診病製藥之際不致眩惑則可以稱讀書明理之士矣近日常陽侃齋翁著痘疹彙編一書行之于世其意蓋在于斯歟夫痘疹之病創行於漢魏之間而後至今溥

海内外莫不患之者矣其始也痔師以爲熱證之一徒論形似爲耳證類本草載名醫副品漏蘆治熱氣瘡痒如麻豆可作浴湯北史崔贍傳曰贍熱病多瘢痕然雍容可觀巢氏病源論孫氏千金方有傷寒登豆瘡候是則後世所謂痘疹也然於其治法未爲備矣至宋錢仲陽頗闡其要嗣此董及之謝天錫劉道源陳文秀聞人規等各有所論著稍得其法猶未爲盡矣自明魏桂岩袁良貴蔡維藩以及近代朱嘘萬馮兆張舒馳遠之徒各有所講明更造其精爲余嘗編古今醫籍考痘疹之書著于録者實一百二十餘家至其治法則既備且盡可謂無餘蘊矣然其說也泛繁偏駁各相指議彼已失之而此未有得矯枉過

直救偏爲僻斗火盤氷互逞其臆今之為醫者不知所適從或局守一家之言則温凉補瀉措置失當何異聽訟者不能執單辭以定群嚚耶欲勿夭折而不可得也豈可不重爲悲慨乎是乃佩齋翁所以著書也翁嘗嘆痘疹也者兒之生命所關而治之者鮮得其法於是研鑽往牒獵涉諸家滙而録之以爲若干卷吉凶臨吝之說温凉補瀉之方博引互證燦然眉列其櫝羅之富可謂贍矣然不自寘繩尺乎其閒使後之覽者商榷異同取捨短長應落套任其決擇抑懼或拘門户之見反致眩惑識其意微矣嗚呼此書也於治痘之法謂之集以大成而可也翁丹墀姓青木氏名元禎字天祥别字多善佩齋其所自號也年

十九來東都從祖考之門受大方脈講求有年以致精良有故冒志水氏後又復姓為人慷爽體義趣人急如己私故今抒其平素所蓄以為此舉亦唯幼幼及人之意也文政四年辛巳元且藍溪後人丹波元胤撰

赤斑瘡辨序

余與松屋源文儒相識有年未知其爲學之邃矣頃過余廬出所著赤斑瘡辨六卷請序余受而閱之始知其用力之勤矣蓋赤斑瘡者麻疹也今茲甲申盛行文儒迺著是書以傳世其所謂辨者非論我醫診候處療之說而訂之矣所考據者亦非援古賢之治法而證之也　皇國之人罹此疾者始自

欽明天皇御極而後大率曠廿餘年以行文儒舉名稱之沿革流傳之歲時而為考覈其綜貫百氏綴輯遺聞博且精矣在昔王室之盛文教覃敷珥筆禁闈握槧藝苑者濟濟輩出無言後昆而其典雅之文古奧之辭時際澆季有不可解者於是近世特有講國語之學然至乎古之制度民物典禮之大切於時用者置而不論唯呫呫然考一義一物乎歌詞言句之間以矜博洽抑亦小學之流也文儒亦夙以此學得名然才敏識高其所為當不止此也夫麻疹者天行之一病而醫方之書論之者寥寥數十言耳而文儒辨之褎然成帙則其為學之邃可以知焉噫使文儒就當時掌故之切於時用者為之考覈則更奈何耶

我醫之覽是書者審其名稱案其歲時復足以為施治之助謂之非方伎所于則是豈文儒所以纂輯之意耶是歲南至默山藥樵元胤識

褚氏遺書序

褚彥道秘經雖寥寥十篇其說氣血陰陽之奧實多所闡發矣然則竹書之紀鐵函之史言有可採若其假託置而不講可也直醫竹内君夙以採衆為念將刻是書以廣其傳既而夢寐之中祖宛有所貽璽於是印數千部施諸同好夫夢也者雖恍惚為神之攸寓事或足信君之感于斯不亦宜乎及君使余弁一言深嘉其志以書所聞如右文政六年歲次癸未春正月望後

[illegible]參堂識反

二日丹波元胤序

藥性提要序

蓋學醫之方以識藥性爲先矣而本草所載煩蕪叢脞漫無準的殆難體認焉至如歌括則拘于韻滯于句繁簡失當亦不切於時用也獨訒菴汪氏備要一書名協其實今胞弟元堅採摘其最要者以便初學之記誦歷歷數言雖有未能盡者先諳斯篇領會其大體庶幾於操匕處劑或知所適從耶其裨于初學殆不尠矣旣書成就正於家嚴以上梓廣布予因題其首爾文化丁卯七月之望丹波元胤序

蘭畹摘芳序 代侍醫瑞見栗本君

藥物之產乎西洋諸蕃者農經桐錄暨輓本草之書唯論其功用而枝葉花實真假之辨鹵莽含糊鮮得其詳技蓋邈乎八紘之外不可身到目擊其所耳聞重譯傳訛是猶酈氏註水經至于塞外衆流江南諸泒遂爲附會乃欲勿乖錯而可得乎有人于斯西洋側行之文佉羅之言莫所不精諳又以岐黄爲業彼境所產之藥物若枝葉花實功用真假之辨讀其書而得其詳驗之病者而核其真更纂中西諸家之説甄綜以作一編遐搜博攷非騁胸懷則仙臺醫員大槻子煥所著蘭畹摘芳是也近時西洋内科之術盛行于世其著説付梓或呈奇獻新傲人以所不知而無益於斯道予每爲之長吁既閲子煥此編駭然

聿修堂藏版

曰是獨無重譯傳訛之弊又不出呈奇獻新之意而西洋所產之藥物不唯從前本草鮮得詳核者農皇未嘗之品桐君勿采之種逐件辨晰殆無餘蘊譬之若艾氏椿園殊域之記方輿廣大畢為蒐錄予夙受其業於本草之書畧有心得而常病西洋所產者不免含糊今也展觀此編疑竇冰泮始知西術不可概為抹摋矣子煥有功於我岐黃之道豈為詹詹乎後之觀者幸勿以茶經菜譜相唐突

醫董序

醫董者何為而作也曰責醫學之弊也曰何以名書曰求古訓而究經旨者南陽張子所以諄諄立論詮諸來學也然則醫之

為道不可不傳淺洽覽研精經術矣奈何叔世方士言不師古因循守陋若解聖經以歲運加臨之說釋本草以引經報使之論表裏九道為診家之大法虎口三關為幼科之程式妄謬怪誕固不待辯一人唱而衆口和之遂莫悟其非固由其學之不明雖有一二聰達之士為之伸喙未能以奪其說余嘗有慨于此竊原張子炯戒之意蒐討群書緝其釋嫌抉論足以啓痛心習者附斷見所得勸成一編是名醫臺董董者督也督責其弊以歸公正使業醫者知所適從矣曰唯唯否否予之述是編譬若良史褒貶不為隱避謂醫之董狐而可也曰噫是何言吾豈敢

文政癸未春三月朔識于蒼雪山房之南軒丹波元胤

聿脩堂藏版

聿脩堂讀書記序

古人稱借書一癡蓋恐其貸借鈔寫之際手觸墨污楮毛弃斷至使字句漫滅不可辨者乎夫家君之於學也自幼至今省病執匕之暇寒氊暑簟焚膏繼晷矻矻乎未嘗有荒惰而其所繙覽凡旨義之奥蘊字句之差舛可疑可議難乙難悕釋之釋之校之辨之評之不唯循于行墨之間旁證群籍考據精核鴻纖不棄即若靈素仲景之書已為箋註而其他評閱之本蠅鬚小楷丹黃爛然于烏絲外與世人草草讀過不得一知半解者相去遠矣是以箋註之書評閱之本人人借鈔殆無虚日胤恐其手觸墨污楮毛弃斷亦使字句漫滅不可辨家君積年之心

血一旦付之于劍埋珠沒矣古人園中之一草一木猶不假折衝況其手澤乎而坐視其如此恬然不介乎意則不孝之責何以塞焉豈其癡絕幾何乎因與弟堅謀之如箋註之書別為副本其評閱之本倣何義門讀書之記錄出編之名曰聿修堂讀書記廼謂家君曰他日有來借者以此充請而若其書收之寶篋以傳後來警戒子孫之荒學惰業墜損門風者亦以自勵云

文化戊辰孟冬哉生魄不肖胤錫祚謹識

賀蘭山先生八十初度序

我師蘭山先生年登八十文化戊辰仲穐二十有一日實為桑弧之辰群弟子旅拜森羅于庭各獻祝嘏之辭酒已酣小子胤

聿修堂藏版

捧觴而揖顧群弟子曰於戲先生非有此性則不能有此命而非有此命則不能有此志矣予知其所以然哉請爲陳之壽夭亨屯莫不有命存爲古之君子居易俟命者以其固不可游移也而天之所命于此人者非聲聞利達之謂也蓋人之為志窮而憤爲憤而發爲以至乎勃然不可遏故天之所以欲厚之者必先或窮之乎生時窮之乎少壯而後厚之乎老大若厚之乎千載之下剝盡而為碩果井洌而為寒泉者是亦古之君子居易俟命者以其不可必之乎生與少壯也若夫世祿之子驕貴之徒紆青拖紫甕內漿酒勢焰薰灼于一時則揚揚乎自以為天之所以命於我者實如此矣而又藥爐丹鼎禱鬼請神沾沾乎

自以爲刼老延年可與天壤俱敝矣嗚呼小勳未立浮榮幾何是皆曰祖先之勳業或馮權附勢之所得而其天之所以命於人者豈如此哉今若先生者古之所謂君子者乎先生之在京也亂嚮闒之其爲壯浩淡冲默盤桓乎壓壘之外剌不漫拔裾不妄掩環堵之室獺祭之書焚膏繼晷揮汗呵凍坦然其間未嘗有蘄知於世矣其從學者千有餘人摘葉腊花懷鉛握槧檯攢而輻輳口詢之而筆記之一如鼂錯之受書伏生而先生精辨確證日以授之未嘗有倦矣其採藥嘗草也峯巒峋巇岩巖石磊硐海之渺而驚濤川之激而奔流或斫榛莽攀蘿蔓蝸緣而登魚貫而下或揚帆鼓楫以溯以絶莫險不涉莫幽不探而

先生年已老大矍鑠乎猶未嘗有衰矣及其蒙辟命爲先生之支族弟子者慶賀盈庭歡聲湯然而先生未嘗貌有喜色矣蓋胤欽慕先生欲一游其門及此舉不堪欣然西向鶴望日俟蒲輪既至胤趨執贄拜先生于榻下時先生年七十神采秀逸聽視爽朗口不自出辭恂恂乎如泥塑人就之則隨問隨答援據該博而寫鈔之富充樞員欄而其行之高其業之精性潛而究所嗜機忘而免所撓北之所聞蓋有超然焉胤於是有感先生之盤桓于塵壘之外不勸知者居易俟命以養其志者乎精辨確證日授生徒者教而不倦者乎涉險探幽矍鑠不衰者老益壯者乎及蒙辟命貌無喜色者以富貴爲浮雲者乎口不自出

辭隨問隨荅者知者不言者乎是皆古之所謂君子者非邪先生之所以然者命耶志耶僴亦不能得而知焉然志之勃然不可遏者非天之所以厚之乎先生者哉雖天之所以欲厚之者如此非先生之養而存焉夫豈得強之乎先生哉於戲先生非有此性則不能有此命而非有此命則不能有此志是今僴之所以賀先生者也而諸子之祝嘏者不過稱先生於本草之學葄枕群籍參稽名實強記多識鴻纖无遺是亦北斗以南一人而已矣此豈足盡先生哉此豈足盡先生哉先生聞之莞爾而笑曰善汝其舉汝之觴東都醫官丹波元僴拜撰

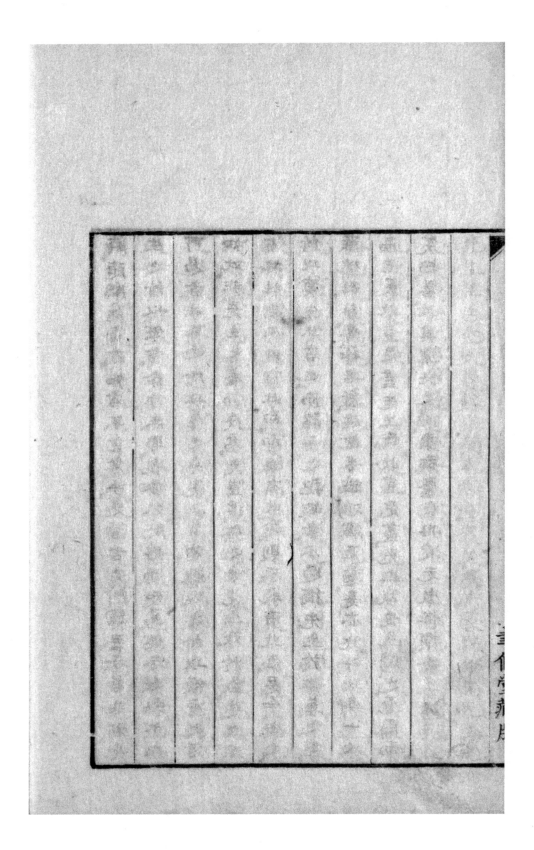

玄朔

柳沂文稾卷中

東都　丹波元胤紹翁

跋

重雕宋板素問跋

右書與顧汝修所刻同從北宋板重彫者若殷匡貞恒玄徵字並缺末筆且楮墨鋟摹並臻精妙遠過於顧刻卷首鈐東井文庫印蓋係于慶元間名醫一溪先生舊物己卯仲冬書估賫來乃議購之彼視余嗜律顧不貳且價時囊中空空如仍以雜書數部易之凡余每得一異書其艱每每如此矣噫先生之得此編也雖不知其艱易奈何後世子孫不能守之散歸于他人誠可

慨焉為吾子孫者克知得書之艱謹以傳以弈世勿復使後人
衰後人是歲臘月廿有七日雙清道人元胤識

吳刻内經跋

庚午歲崎陽鎮臺所棣進吳商儎來書目中有素問靈樞一部
一套先君子意其為吳本請參政沼津侯而致購之明年郵致
時既在先君子梁壞之後侯猶不遺寄託賜于不肖胤〻驚喜
無比速奉之祠堂以告焉嗚呼遺靈有知當感桂叙之志矣書
各十二卷附素問遺篇一卷明金谿吳悌從元胡氏書堂本而
梓行者楮墨簇新頗為善本若素問所錄又止經文卷首猶存
王太僕原序林億表矣悌字思誠嘉靖十一年進士除樂安知

縣調繁宣城徽授御史十六年出視兩淮鹽政後及嚴嵩專柄引病家居嵩敗起故官自南京大理卿遷刑部侍郎隆慶三年卒萬曆中贈禮部尚書謚文莊學者稱陳山先生云今此本題巡按直隷監察御史蓋其初上所発雕也繙閲之際痛先考之不及見為之撫巻愴然文化九年歳次壬申仲春櫟窓後人

東都丹波元胤謹識

難經集註跋

文化紀年內醫宗山子田先生重雕王翰林難經集註請先子序之後歷廿歳先生輦板被贈元胤驚喜不知所況謹貯之家

考王惟一修銅人圖經在于天聖五年而楊康侯所著通神論

元符中董會直為序其相去七十餘年惟一不得於康侯眉睫
相接而集註採入楊說是大可疑焉頃觀天正中亡名氏難經
俗解鈔稱難經有十家補註即併越人而言之曰盧秦越人撰
與太醫令呂廣註濟陽丁德用補註前歙州歙縣尉楊玄操演
巨宋陵陽草萊虞庶再演青神楊康侯續演琴臺王九思校正
通仙王鼎象再校正東京道人石友諒音釋翰林醫官朝散大
夫殿中省尚藥奉御騎都尉賜紫金魚袋王惟一重校正建安
李元立録於家塾蓋諸家校註固各單行元立鳩蒐其說以
成一編至署名不以朝代為次序坊刻以惟一在最後遂係其
所集妄改原目屬之王氏也於是先子所謂舊刻慶安板印未

華佗堂藏版

見祖本題曰王翰林非惟一之舊者始知其見之不錯而予所疑亦泮然矣嘗今翁更爲刷行乃表先生瓊甿之意併擧鄙見所得題之卷尾文政七年歲次乙酉菊月載生魄東都丹波元胤書

宋槧史記扁鵲傳跋

己卯仲春偶訪圖書府監近藤正齋守重時出宋槧本史記被示曰是米澤侯家所傳係其先世郡將北越直江兼續舊藏余執其扁鵲倉公傳見之喜躍不能自持謂正齋曰是書不唯文字端雅古香可愛若此而標註援證殆爲該洽宋元醫家之書世久失其傳者得藉以覽遺文可以稱奇寶乃懇請借歸使門

聿脩堂藏版

人覓龍夫斡加治廷珊佩宮碕伸齋蠖影模以藏于家矣考其
標註鰲頭細楷朱墨爛然周遭于烏絲欄外而不記何人所藏
中多有幻雲謂文乃知係其手跡可謂用力勤矣幻師名月舟
文明間僧居洛東建仁寺善詩文有集行世余嘗閱僧南華集
載贈史記于直江氏則是書始出月幻師後歸南華展轉相傳
以至于今者是等寶冊世實希有然侯家藏弆之久人從未有
知焉余與正齋擊于目者豈非有宿世文字之緣耶柳亦師性
光所傳固有不可泯也余於是乎將為師炷一瓣香是歲三月
錢望柳沜半衲元胤書

金匱正義跋

右朱峻明所著鈔本二卷往歲吴舶齎來碕島龜山醫員岡田義叔從鎮臺牧和州文成至彼地出重價購得而歸余借閲之編第與目次不合行墨間塗乙點圈加以朱筆無序及跋文其潦草草率似未全脱稿者唯峻明履貫不詳是書亦莫由知脩于何代也註解頗有濬明實爲罕覯之珍乃使及門之徒依原様以影模永藏之于家義叔名順益風骨瀟灑亦好古之士也乙丑仲秋念五日柳沜散人元胤識

金匱輯義跋

金匱玉函要略輯義者先考櫟窗君所著也庚午仲冬將刻命胤跋之胤辭以資鈍學陋有辱家聲亡幾先考以暴疾棄諸孤

聿脩堂藏版

今也刻成而先考不在先考不在而言猶在耳嗚呼悲夫先考嘗謂註書難矣至于吾醫家之書最爲難矣苟有紕繆乖理後生襲之其爲遺孽不尠矣若金匱要略論治雜病之治而實爲群方之祖其文雖樸其辭雖約而其理邃以弘非淺學可能解者且自晉至于唐季顯晦不一宋詞臣等雖爲校正佚篇壞字殆居其半去古益遠失真益多竟不得復于舊觀是以註之又爲難中之難矣故先考之著是書也以經解經以方釋方鈎聱與旨折衷諸家疑者整之逸者補之考據詳該義明理晰使病情藥性莫不纖悉蓋其書自明以來註者陸續輩出各有所濬發然徒釋其文辭不留意於考據故迂論強解鑿空無根不失

之浮則失之隘矣今是書也芟其榛莽而闢其藩籬迥出諸家註釋之上矣後之業醫者或讀是書而神會智啓憬然覺悟用施于診候處療之際有所濟救此先考之志也若唯謂博綜廣摭辨討之勤與酈道元裴松之相伯仲則非其志也嗚呼使此刻竣工於先考存在之日必一展卷喜氣揚揚于眉宇間焉每念及之拊膺而慟哭悲夫胤雖弇陋不文不忍以廢其遺命於是乎苫塊之餘雪涕題諸篋尾云文化辛未春三月不肖男元胤奕祺拜撰

本草衍義跋

宋寇宗奭本艸衍義二十卷見于宋史藝文志晁公武讀書志

作廣義或有所避歟此本從寳曆中侍醫鹿門先生望三英舊藏宋版而傳摸爲卷尾有段果等題詞名銜當時與證類本艸同所重雕字徑寸許楮墨精妙實宋版之佳者間又有譌字於是校以家藏元版及劉新甫圖註本艸悉存惠重刊備用本草所附爲之訂正是書首潢序例爲三卷次則論藥物之名狀功用陳振孫書錄解題稱其援引辨證頗可觀采矣李時珍本艸綱目曰書及序例凡三卷似未見原書而又誤以蘭花爲蘭草以卷丹爲百合是殆尺璧之瑕不足爲之輕重也文政辛未仲夏初三日東都丹波元胤識

本草綱目跋

右晉鐵杖翁井上貫流直舊藏木也翁世為忍侯臣少年佚蕩
去家客遊京攝間再至東武業醫從事于祖考藍溪君又善談
兵精諳礮術其出也每挂鐵杖故人以名之及鄂羅斯掠邊被
辟為前軍寄騎率兵駐防者兩歲翁時年七十體貌強健美鬚
髯斗酒斤肉有古老將之風焉文化辛未以病終於家未幾長
子不肖所貯戰具醫編散為烏有余憾其墓草之未宿而遽衍
之忽空物色久之遂得此木于質庫中展觀一過恍乎若對故
人不禁歎逝之懷也遺靈有知請其鑒余寸悃哉乙丑仲秋迂
齋道人元胤識

五藏論跋

方。

於、

是摘録古醫經中關于腑臓之説以成編者藥名之部及五常之體其文理殆類雷公炮炙論序體製古朴實非唐以後之物也陳自明婦人良方卷首生育説云五臓論有称耆婆者今推其説類皆淺鄙不經妄託其名。三藏佛書語渉怪誕而崇文總目載耆婆五臓論一卷今檢書中有黄帝爲醫王耆婆童子妙述千端又稟四大五常假合成身之語則所謂託名於耆婆三藏者豈此書乎是亦醫方類聚採輯本弟篋底所鈔出也

庚辰霜月初六日柳沂胤識

黄帝蝦蟇經跋

黄帝蝦蟇經一卷先子嘗從列桐白河侯傳録焉其書雖全然

○陰

出于假託而太平御覽引抱朴子曰黃帝經有蝦蟇圖言月生始二月蝦蟇始生人亦不可針灸其處隋志又有明堂蝦蟇圖一卷徐悅孔穴蝦蟇圖三卷則知晉宋間已行于世考日中有烏月中有蝦兔其說來亦尚矣史龜策傳曰日爲德而君於天下辱於三足之烏月爲刑而相佐見食於蝦蟇淮南子精神訓曰日中有踆烏而月中有蟾蜍又說林訓曰月照天下蝕於詹諸烏力勝日而服於鵻禮參同契曰蟾蜍與兎魄日月氣雙明蟾蜍視卦節兎魄吐生光李善文選謝莊月賦註曰張衡靈憲云月者陰精之宗積成爲獸象兎形春秋元命苞云月之爲言闕也兩說蟾蠩與兎者陰陽雙居明陽之制陰陰之倚陽也據此則

其書似出于漢人者矣是編譌舛頗多然世久失傳無他本可校今雖明辨其爲誤焉不敢妄改付諸開雕覽者蓋足以知非輓近假託之書也文政六年歲次辛巳季春初五日東都丹波元胤識

鍼灸原樞跋

吳嘉言是書稾本係于楓山秘府所藏丙子夏月影錄山碕子政先生手鈔本余初疑鈌前八卷既而閱之首有原樞論一篇卷末題醫經會元卷十乃知是其所附刻故卷第相沿若此其實爲足本矣嘉言别號梅坡嚴州分水人也世以醫名至嘉言盡得秦難玄妙當道重之授太醫院吏目當世有名醫之譽所

著又有醫學統宗一書府志載其目不知今猶有藏之者否是歲暮節前一日識于柳沜秴舍冊波元胤

周氏刻本中藏經跋

華氏中藏經一卷見于直齋書錄解題而今世所傳有二本雖卷第不符其目徵之樓大防跋宋時已爲兩矣一則閣中倉司印本而吳師古醫統正脈中所輯之藍本也一爲樓氏校本即周錫瓚所鋟也周本書凡二卷證凡四十九則附方凡六十道其文字端雅校訂清晰周始得之前後多缺無目錄并樓氏跋因取吳氏刻本補其缺從攻媿集中錄跋附後予嘗閱馮夢禎快雪堂集跋趙魏國是書真蹟云此魏國晚歲養閑書也錄華

聿修堂藏版

。藏者取寶而

氏中藏經四十七條首尾俱不完為二卷後附方六十道別為
一卷據是則周本原從魏國真蹟而傳錄者其實錄者其實蓋
出于樓氏也吳昕輯書凡八卷前有目錄藥方凡一百二十有
四道與周本同者二十八道其他則後人所贅比之原方低書
一字似為之別者而文字訛舛不可舉摟與樓氏所謂閩中之
本未善至一版或改定數十百字前有目錄後有後序今本缺後序按
樓恐是鄭氏是中序藥方增三之二者相洞契且樓氏校本肝藏論痛引
小腹令人註本無此五字肺藏論有寒則善欬註本作有病則
善欬等一與吳刻不異則知閩中所印為之監本矣又戴良滄
洲翁傳載中藏經八卷則可見自宋時已有二本矣而其名中

藏之之義後漢百官志曰中官私府令一人六百石註云宦者主中藏幣帛諸物又蓋勳傳註云中藏猶内藏是也夫闈中之本舊版已稱未善得摹浸舛又失其真然吳氏刻入叢書後来所行僅止于此而若樓氏之本世罕識者周氏得之更加校補以梓行焉唯據馮夢禎跋及是本卷末所題已上八方陸本在中卷四十論後語則原為三卷不知周氏何以合為二卷夫吳氏所刻頗多闕略繙閲之際每苦其牴牾今得周氏此刻始得免其患則是宜致寳惜也若夫書中要旨覧者其自知之故不敢為揚榷聊識二本分合之異而藏之于家云文化庚午孟夏念四日丹波元胤紹翁識

聿修堂藏版

孫氏刊本中藏經跋

蕘苑周錫瓚刊行華氏中藏經二卷予嚮得之據馮夢禎快雪堂集定為從松雪翁手跡而傳錄者今又得孫淵如此刻益信予見之不錯也孫序謂此書文義古奧似是六朝人所撰非後人所能假託隋志有華佗觀形察色并三部脈經一卷疑是中卷論診雜病必死候已下二篇故不在趙寫本中未敢定焉予因查之王叔和脈經所載扁鵲華佗察色要訣與二篇文約畧相符則其二篇出佗書不容疑可以確孫說也序中又稱所得宋本醫學書甚多惜無深通醫理者相共證之夫淵如淹雅之士學靡所不精李文塘畫舫錄嘗詳述則恨不得與之展觀縹

帙以闡其緒論十萬里之波濤邈然相阻無由一見徒揩欽挹之想耳甲戌仲冬初五日崎陽收鎮臺鄭致即執周刻對勘明日曉起識于蒼雪山房之南軒丹波元胤

鈔本本事方跋

右本事方十卷清人所鈔校之通行本各藥下不疏炮製而方證腧穴亦多不錄余嘗得之以為經後人之刪改者頃讀 孝忠跋始知係其重刊時所補入余於是乎深慙失鑒丙子浴佛後一日廷可胤識

王刻本事方跋

予嘗所得清以墨書本事方實爲王次辰此刻之藍本然此刊

[illegible][illegible]堂藏版

反長者數十方是蓋採許氏後集所載散見他書附之也所謂續鳧頸者徒使後人發一噱耳丙子首夏初九日識于桐竹雙清處元胤

楊氏家藏方跋

宋楊子靖家藏方近世有活板配印者訛漏之多一頁或至數十字殆不可賦讀先府君嚮借祕府宋槧本與叔父安道君對校釐訂去冬再使侍史以影摸書未完而先府君謝世余遂命以繕影蓋是書全倣和劑局方列證候於各方下而不論病源為卷凡二十分類二十一載方一千一百一十一其蒐緝可謂較富矣子靖名倓和王存中第二子世為將家非業醫者唯生

平好蓄聚方是以撮其所經効為編者遴擇頗精乃醫方中所不可少也故先府君注意于此者亦至矣今錄已成不復及見余不堪悲惋之至題數語以述懷併以諸書及子靖東履者記之卷末云文化辛未仲春哉生霸櫟窗後人丹波元胤謹識

加減十三方跋

加減十三方世多刻本而缺撰人名氏永樂十一年蔣璞所進呈亦爾今此編題曰徐用和撰蓋得其實然以為明人誤矣用和名文中宜州人也世傳婦翁針藥及善符呪兼能縛鬼元中葉挾術遊吳以神良所稱徐克昭稗史集傳嘗詳載之此編諸方盡出于和劑局方雖僅僅十三首隨證加減具列活法可

爲初學用藥之資矣當時葛應雷傳張劉之學於江南而未甚行故用和所錄止是古方則又足以知其朝代也辛巳季春上澣日丹波元胤識

脉因證治跋

右本舊標丹溪先生四字卷首改潛溪宋氏格致餘論題辭以附之而其初論脉次因次證後延論治與黃世仁本草權度毫無差異考世仁成化間以孝子聞朝廷旌其門一時賢達亦有傳贊以襃奬之其人物誠實可知則悪致執古人之書掩爲所著以要名利耶是蓋後世重刊黃書者附丹溪盛名而求售呈斯伎倆耳余頃編古今醫籍考以其係假託即不著手錄也而

○方然

○閣

昌喩氏嘗憾是書不行彼偶未見之余則往歲受先君子之命與弟茝庭從張藩藏本分而鈔之以傳于家文化十有三年季夏之望識衮衮齋主人元胤

金鏡内臺方議跋

右明許宏所著釋張仲景一百十三方雖以成氏註解爲主別有所闡明而宏以仲景之書稱金鏡内外臺諸家簿錄未見其目也考唐以來三司監院官帶御史者爲内臺帶諸道行御史者爲外臺又魏薛夏報王肅書云蘭臺爲外臺秘書爲内閣臺一也王燾撰方書以其時知弘文館圖籍故命以外臺其義固不干於醫家仍謂宏所命當無深意不過若稱内外篇一時表

巽耳宏孚宗道建安人幼業儒而隱於醫奇證異疾醫之輙効又工詩文寫山水皆臻其妙事履詳于縣志所著又有湖海奇方八卷自序題永樂二十年歳在壬寅建安八十二翁今據此言溯其生時在于元順宗至元三年其人可謂壽考也汪琥傷寒論辨註云許氏不知何代人不詳其字閱其文義想係是金元間人似未加攷究也文政己卯菊節東都丹波元胤書

救急選方跋

家君以濟衆爲己任每慨今世醫家或平素不研其術一旦遇卒暴之證錯愕失措遂致夭横乃病在蓐也著此書以備應急之資其啓來學惠亦溥矣享和初付之開雕未幾燬于火今茲

再命鋟梓廣刷行之醫家預讀此書精窮其術使世人無復瞽乎委靡乎則東君濟衆之功亦與天壤不朽云文化庚午孟冬既望不肖男元胤奕祺謹題

龍木總論䟦

棭齋狩谷景雲望之所藏鈔本龍木總論十卷其書冊不綫釘每頁紙心黏裝背面乾畫界行而倶寫字宋人所稱蝴蝶裝也景雲謂是係于應永中人手跡其楷墨堅潔製亦奇古實爲數百年前物矣余往歲借校家藏明教所黄氏刻本烏焉之譌藉以是正今又更錄其副以爲架上之有傳法正宗記曰龍樹避宋諱作木然則是書亦与唐人眼論同託言于菩薩者聖濟總

録幼幼新書㨿其方論則當是北宋時所撰矣余髫年病目昏花溢淚至今不能燈下讀書噫何時得復金篦刮翳免與風光隔生耶是特所以於眼藥之書鄭重致意也文政三年龍集庚辰霜月哉生霸丹波元胤識

治癰疽神仙遺論跋

宋史藝文志載劉涓子神仙遺論十卷東蜀李頔録而今所傳僅一卷或謂其餘即係散佚按陳振孫書録解題謂此書卷或一板或止數行名爲十卷實不多也然則後人以其不多合爲一卷者而錢遵王敏求記稱宋鈔亦一卷則其來久矣而其所題劉李二子之名果爲贋託如和氣散稱蒼术解毒飲子順氣

題劉李二子之名素爲贋託如和氣散稱蒼朮解毒飲子順氣散等稱山藥及用劉寄奴草其贋託顯然然其旨義蘊藉又似蒐輯鬼遺方及昔人方論而綴合之且張鋭雞峯方楊士瀛直指方引其保靈丹則僞撰乎南渡以前者乎陳振孫嘗以此與鬼遺方一書而後人亦引稱鬼遺方則有託以傳託直取題簽者乎是本舊附鬼遺方後爲寶曆中刋本其文字舛譌殆不可解又無他本可校唯據樓全善醫學綱目所以引爲讐校蓋是書雖偏旨人方論多賴此而存則不宜以贋託而束之高閣也

戊辰重九前二日　柳沜醉漢胤識

醫説佛乘跋

佐伯侯紅粟齋書目中載此書余謂當續張李明俞子容之書
併及于梵筴中醫書者屢往侯家借之秘不肯爲客藏初冬得
之乎淺草書估麥屑肆喜劇持歸閲之僅僅數葉論灑疸梅毒
咽喉急證外附效驗雜方耳雖於治法不無少補而明季庸流
之士表異以眩一時人目者其陋而可厭焉不知往時侯家之
秘又爲何論庚辰正月識于雙清堂元澂

金嬰方論跋

此書槀本西京大醫博士福井榕亭需所藏也已卯閏月繕寫
以被貽焉來書曰其被式類乎宋槧而闕第一第二兩卷故不
詳成于何人手頁面題宋鄭端友著端友禱祐中人也是又不

知何據余覆曰此語出于熊均醫學源流而觀末卷記所常治病有紹興庚戌乾道壬午文則知端友實爲高孝兩朝閒人而稱淳祐當是淳熙譌學其爲宋槧本不啻疑矣此書著録於明文淵閣書目者一部四册閲李瀕湖本草綱目又載其方而後流傳遂晦醫家莫併其目而知者余閱其方論援證該備閒述新見與劉方明幼幼新書足以駢行則是不唯罕覯之秘册抑亦小方脈科不可廿之書也聞榕亭藏書之富豪擁百城而闕山隔絶無由一見余每爲耿耿及今得此書千里録寄以濟同好是豈可不感戴耶夫此書原有所闕則榕亭意當有楚弓之憾余將爲之搜求以合劍光輟榕亭惠貺之志乃併識於卷

主芬堂識跋

危爲他日鈔補張本文政三年歲次庚辰人日東都丹波元胤書

活幼口議跋

活幼口議二十卷元曾世榮撰見于焦竑國史經籍志余家舊藏鈔本僅八卷文理訛舛殆不可句弟茝庭嘗從朝鮮國醫方類聚中錄出成編余謂是書所著自其診視療之法以至于卒素鞠養保攝乳哺嬉戲謹謹乎議之甚詳之甚詳使懷抱中物免爲朝菌夏蟲其幼幼之心可謂篤矣衡州府志載州民不戒于火延燒及三千餘家獨世榮宅與書板存乎瓦礫場中良有以也乃若是書亦當有神物擁護者不啻付于斸如之嘆矣

後閲十餘年今秋七月叔丈蒨園君携竹洞後人人見氏所藏足本而所借驚喜之餘速録一通以傳家於是予感世宗密念之所存果不至澌滅而喜余前言之足以徵矣即記其顛末如右庚辰孟冬十一日丹波元胤紹翁識

痘疹全書跋

此為銅壁山人之原本而山人是書後人肆加竄亂著殆至數四始萬曆中臨清邢邦合為三卷梓以傳之邢序標云秘傳經驗痘疹方卷首題云痘疹賦上集次卷又云痘疹治法明無名氏有痘疹良方始卷即痘疹寶鑑次二卷為此書之新安吳勉學輯入于痘疹大全中為古羅聚齋萬全所著自後清鶴溜張

仲琛遂攙之曇齋全書改名痘疹斥王其誤書缺葉俱不耐視
乃山人之書殆將澌滅今據趙裕此刻始得一掃烏焉之訛復
其舊觀矣所異二本係予架藏趙刻良方并為佐伯毛利君紅
葉齋本辛未孟秋借而鈔焉蓋山人以庸師徧執涼熱屢害人
子仍著此書欲除要雍齒莽之弊其意微也然為後人被割裂
者何至此耶展覽之餘使人一嘆是歲晚秋晦題于蒼雪山房
南軒東都丹波元胤

痘疹心書跋

是書不題撰人名氏無序及跋文從未詳係于何代嘗讀譚趙叢
德數香堂集載痘疹神應心書序稱五齡見事痘臣心證並生部

民劉文光用九味神功散佑以紫草茸毒盡解而紅活可愛速
問所從來即以其書進蓋正統壬戌間上饒樊邱公敎授淩江
時所著其弟子裴生庶為之論治者焉是書其記九味神功散
方論則與起巖所稱當是一書而傳元湯及愼逆陰三侯郎魏
桂巖博愛心鑑所設而是書又載之似非成于正統間者遂
不能決定其何如辛巳春月丁艱家居日出架中方書而閱之
玉象晉簡易驗方卷首附起巖此序而其書收在于第六卷中題
曰貫溪柳樊邱可封裁定因執是書對照則果出一手者於是
乎不唯為疑團冰泮竊信余當時所見非錯眼矣夫是書所
載方法雖偏乎溫補持論超卓自成一家言若其託說于扁鵲

聿修堂藏版

華佗是方士之常談不足深詰也乃桂巖心鑑實原是書而作
者然其蹈襲之跡人莫知之而世盛行焉若樊阿公之書殆至
晦滅古之人著書傳後亦有幸不幸誠可慨也余今録起巖
序以弁之併著此說而為表章隱樊阿公豈非於當世之下得
一知己乎丹波元胤紹翁識

陸放翁詩鈔跋

傭書人武景歐手一書來于海棠橋寓樓曰東谷慧璿上人以
子被借吳之振宋詩鈔因揭是集而謝之余乃頂戴歡躍曰為
諷誦從今余之於詩或有進一步矣上人之賜也他日當持吟
藁附繙佛前頻侍香著不知上人將為余識悔綺語業歟丙寅

季夏元胤識

丁丑秋初病中閱是集湘工人惠貺之時已十餘歲書香可掬

曲刊久香而余詩拙劣倍舊楚愴之懷併致深歎胤又識

[illegible]修堂藏版

特 1
959

特1
959

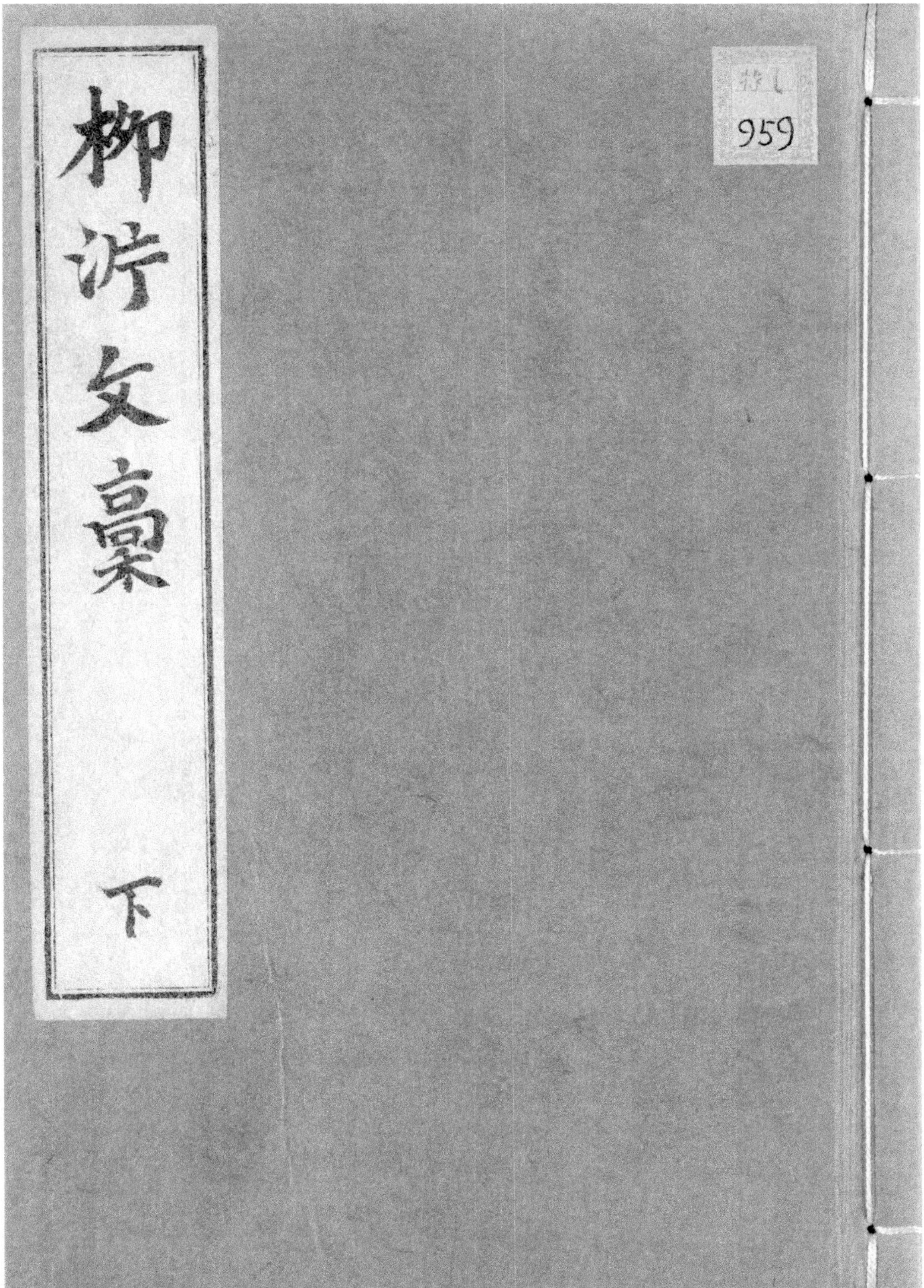
柳沂文稾
下
959

洴文藁
卷十
時 1
959

柳浒文稿 下

附執友 詠考 [illegible] 書 墓表 詩

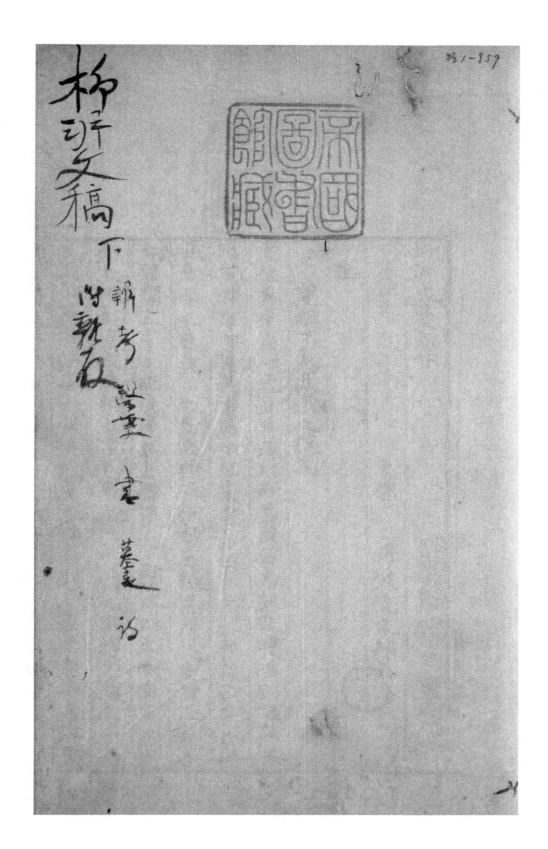

柳沂文稾卷下

辯

東都　丹波元胤紹翁

靈樞不載運氣之說辯

靈樞五變篇曰先立其年以知其時時高則起時下則殆雖不陷下當年有衝通其病必起歲露篇曰黃帝云願聞三虛少師曰乘年之衰逢月之空失時之和因爲賊風所傷是謂三虛帝云願聞三實少師云逢年之盛遇月之滿得時之和雖有賊風邪氣不能危之也桉立年知時之法考諸九宮八風篇太一移日天必應之以風雨從其所居之鄉來則吉歲美民安少病矣

聿修堂藏版

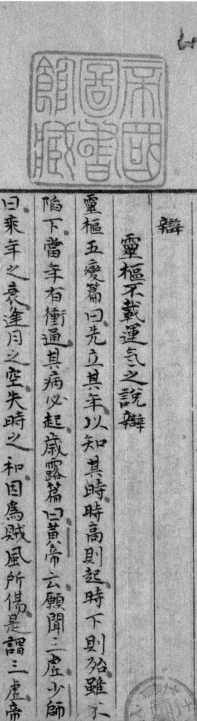

是謂實風主生養萬物即爲進年之盛若從衝後來則有變病風折樹木揚沙石是謂虛風傷人主殺即爲乘年之虛所謂各以其所生占貴賤因視風所從來而占之是則所以先立其年也更以周年之日數分屬八風每宮九四十五日其太一始移之日候所來風雨以占時之和否法若冬至之日是則所以知其時也王氏補經五運行大論有先立其年以知其氣左右應見然後可以言死生逆順之文註靈樞者誤據其說以經言爲五運六氣行御之義抑係失考官鍼篇曰用鍼者不知年之所加氣之盛衰虛實之所起不可以爲工也註者以爲六氣加臨之義是亦誤矣二十五人篇曰黃帝云形色相勝之時年加可

知乎岐伯云凡年忌下上之人太忌常加七歲十六歲二十五歲三十四歲四十三歲五十二歲六十一歲皆人之大忌不可不自安也感則病行失則憂矣當此之時無爲姦事是謂年忌可見其與王氏補經之文不同矣夫靈樞雖閒有譌脫較諸素問卷帙完然不有僞之補論以致闕入實古九卷之書也註者當就經講理其文易明其旨易通不可求之他也蓋運氣之說自王啓玄以補經文北宋諸醫有信之者至于金源之際時師峯爲章程不取素靈正經之文更棄仲景叔和之論唯其說是從爾來入于人肝肺牢不可破若立年年加之義經有明文與運氣行加之理特不相涉註者執此解此是因胸有成見讀書不

精遂不免固陋也

名醫別録非陶弘景所撰辯

隋書經籍志曰名醫別録三卷陶氏撰又神農本草八卷註曰梁有陶弘景本草經集註七卷亡據此則二書本自單行而若別録唯著陶氏撰不審其果爲弘景否證類本草載陶弘景集註序例曰以神農本經三品合三百六十五爲主又進名醫副品亦三百六十五合七百三十種并此序録合爲七卷各別有目録並朱墨雜書并子註今大書是白字本草則舊經之文而黑字則係乎名醫副品矣又查證類本草五石脂女萎雷丸玄石弘景集註所引別録之文與黑字所記不異蘇敬新脩本草

註曰梁七録有神農本草三卷陶據此以别録加之爲七卷開寶重定本草序曰三墳之書神農預其一百藥旣辨本草存其録舊經三卷世所流傳名醫别録互爲編纂至梁貞白先生陶景乃以别録參其本書朱墨雜書時謂明白又曰白字爲神農所説黑字爲名醫所傳嘉祐補經總叙曰舊經才三卷藥止三百六十五種至陶隱居又進名醫别録亦三百六十五種因而註釋分爲七卷又曰凡陶隱居所進者謂之名醫别録云則似以副品爲别録矣而别録之文蘇敬新脩本草所引四十則李珣海藥本草所引二則全然與黑字所記不同則似名醫别録非副品矣考弘景之撰本草經集註就名醫别録中擴三百六

十五品以副舊經之數故謂之副品而別録之書至唐時有單行者蘇敬李珣輩猶得是之迺以弘景採録之餘有可備於施用者故更收之註中是其文所以有與黒字所記不同者也則名醫副品本自別録中所採記而別録不是成乎弘景之手隋志所謂陶氏別是一人其所載郡縣有晋代所置者則其編蓋當時名醫之所撰也而此説也實非余私言唐書于志寧傳曰帝云本草尚矣今複修之何所異邪對云昔陶弘景以神農經合雜家別録註銘之江南偏方不周曉藥石往往紕繆四百餘物今考正之又曰帝云本草別録何爲而二對云別録者魏晋以来呉普李當之所記其言華葉形色佐使相須附經爲説故

弘景合而録之鄭漁仲未詳此義著於藝文畧曰名醫别録三卷陶隱居集李時珍本草綱目曰神農本草藥分三品計三百六十五種陶弘景復增漢魏以下名醫所用藥謂之名醫别録凡七卷此以本草經集註爲别録者郢書燕説踈亦甚矣陶弘景稱本草經爲本經者蓋對别録而言之非農經之原目也盧不遠從證類本草録出經文刻之于醫種子中題曰神農本經張石頑逢原滕可齋會通亦承其誤近世醫家亦不特以别録爲弘景之書有以本經爲農經之原目者併以附訂焉

芍藥無斂洩之功辯

仲景方中用芍藥者成無已註之謂其味酸寒酸收也泄也後世註家因循其說謂收斂陰液之品也予嘗考之本草經曰芍藥其味苦辛止痛利小便別錄曰緩中通順血脈而未有斂液之說又徵之乎仲景施用之旨以其性走陰分爲和液緩中之品註家無從識此理者費辭強解以扶舊說何則試就桂枝眞武大柴胡三方而觀之夫太陽中風之爲候雖肌理不緻陰弱自汗不宜乎發表迅速之藥然不汗解則邪無出路故用桂枝通衛氣芍藥爲臣走營和液贊其辛溫舒陽之勢合甘草姜棗而諧表裏一舉廓然是方中所以不可無芍藥也註者謂以其性酸收合之桂枝於發汗中寓斂汗之旨然則仲景何於汗漏

不止之證不加用之而至其汗後身疼脉沉遲或其脉弦濇腹中急痛或下後腹滿時痛者而倍增之耶今發汗大過遂漏不止則不唯有脱液之患故先于桂枝湯加附子使解肌之劑及爲護陽之用使芍藥和營緩中則陰液自致滋養使小便難者自利四肢急者自伸可見芍藥非為歛液而用焉若夫誤發其汗而後外無表證裏無熱邪所餘身疼痛及其脉沉遲者是雖衛陽不甚耗而陰液已漓脉行不快而所使然故於桂枝湯新加芍藥一兩使其藉生姜宣通之力合人参扶陽生津之品和液以走營諺著謂是又為歛液而加焉然則宜減生姜專其酸收之勢今增此二藥者何耶傷寒陽脉濇陰脉弦是浮沉並之

○龍

滑利和緩之象其裏虛為痛者可知故桂枝湯倍芍藥合膠飴甘和之味緩中止痛反使桂枝為佐而温營氣乃其用芍藥者豈收而行津飲而補中之義耶太陽病下後邪陷太陰以表邪未解仍用桂枝湯其倍芍藥以緩中氣弛滿止痛者非因傷脾以收陰氣即觀至其大實痛改用大黄之意而可觀焉太陽病下之後脈促脈滿者桂枝湯去芍藥主之註者謂去其酸收以避滿然則太陰腹滿之證倍用之者何是惟用桂枝之辛温專使其胸中陷入之邪達表以宣陽而非走陰之品所宜故去芍藥也傷寒脈浮以火刼之亡陽驚狂者桂枝湯去芍藥加蜀漆龍蠣主之註者謂芍藥性滯恐妨桂枝迅走之勢然則其用

蠣鎮克之品者何是以桂枝合蜀漆挽陽以救火邪之錯逆用龍蠣鎮攝其神而治驚狂非走陰之品所宜故去芍藥也少陰病二三日不已至四五日腹痛小便不利四肢沉重疼痛自下利者此為有水氣真武湯主之此證雖屬陰寒兼有水飲内結故外攻於表則四肢重痛内盛於裏則腹痛下利而或為嘔為欬是以朮之燥濕附子之壯陽茯苓之滲水生姜之散飲得芍藥之和液而緩中止痛之力相資眞奏効張氏纘論嘗疏此方用芍藥之微旨其說頗詳惜未悟及于斯矣太陽病過經十餘日反二三下之後嘔不止心下急鬱鬱微煩者與大柴胡湯夫此方實管領表裏上中之邪自下焦而導之攻中又寓和解之義

而所治諸候表有熱邪裏則痞氣填結以致上下不定乃用柴胡黄芩以解表邪以芍藥有緩中和液之功使破痞之枳實蕩實之大黄藉手於斯而致掃滌生姜析其上逆大棗微和胃氣是此方之所主也註者視芍藥例為酸收之義則以與諸藥相牴牾殆無着落於是執内經酸苦湧泄之語謂為泄實折熱之佐抑何牽強之甚耶甘遂半夏湯治留飲欲去者用芍藥亦藉以緩中裹其行水直達之功非與甘草白蜜俱緩藥毒猶大柴胡湯中用之之意已矣夫桂枝真武大柴胡三方之用芍藥也非酸寒斂液之義而為和液緩中之用者鑿鑿乎可據矣仲景方中施用之旨莫行非此理者實與古本草經之文相洞契則

所謂勤求古訓者殆不誣也後世註家昧乎溯源究本之義因循相倣莫闡其微旨者遂謂芎藥使產後及血虛寒入不用之者何等胡談仲景治虛勞裏急用建中湯產後腹痛用枳實芍藥湯則其謬固當不待辨焉

适山藥樵元胤撰

聿修堂藏版

[illegible][illegible]堂藏版

[illegible][illegible]堂藏版

考

腲腿考

巢源風腲腿候四支不收身體疼痛肌肉虛滿骨節懈怠腰脚緩弱不自覺是也而腲腿二字特多異文千金方猥退半身不遂又羌花散治偏風⿸疒畏⿸疒退風一切經音義⿸尢畏⿸尢妥烏對反下他對反廢風也龍龕手鑑⿸疒畏俗作⿸厄畏⿸厄畏⿸厄委也⿸疒褢⿸疒夒並同韻會小補⿸疒畏⿸疒退風病⿸疒畏又作⿸疒妥而不詳其爲何義按後漢馬援傳萎腇咋舌註萎腇耎弱也文選洞簫賦阿那腲腇註舒遲貌玉篇腇腲大腫貌腲㬹肥貌巢源廣韻是文已異而義亦不同列曰耎弱曰舒遲曰腫腲曰肥貌曰不知人曰行病者莫不與病証相

類則謂之腿脹二字以音相轉者而可也又梅詩卷耳章陟彼崔嵬我馬虺隤註虺隤病也釋文虺說文作瘣孫炎云馬罷不能升高之貌則虺隤者病之狀又爾雅虺穨病也註虺穨玄黃皆人病之通名說者謂之馬病失其義也而後世諸書不載虺隤之病念是腿脹之字又以音相轉者且虺又作瘣可以証也嘗問之錦城太田先生元貞先生稱善且云虺壞也隤墜也馬罷不能升高貌若壞墜病風之人狀又類此即爲腿脹之字以音相轉者是也得之其義初覺穩帖矣

△廣韻㱇矮不知人也又𤸎𤹪行病。病源風濕候脹腿人膝理閑便受風濕

是

欬嗽考

欬也與嗽古人所說雖不精晰未必無辨凡字之爲義對文即同單稱即異故稱欬嗽則義不異稱欬稱嗽則不能無辨猶嘔吐之類矣夫欬刻也氣奔迫出入不平調若刻物也猶嘔之欲吐不得喀喀張口曲脊久之漸吐也嗽漱也用口急促狀如漱水也猶吐之隨聲滂出狀如瀉水也而考其所因痰之爲欬者燥著凝滯妨其氣息所謂凝痰也其爲嗽者游泳喉閒不甚黏滯所謂遊痰也故肺葉以舉氣息以逆則燥著凝滯者爲之妨礙相激于咽喉之閒喝喝成聲有時頻然而吐氣乃清利欬是也若游泳喉閒不甚粘滯若氣泄則隨欬而出不甚用力嗽

也此欬之與嗽粲然精晰而鄭康成註周禮云嗽欬也顏師古
註急就篇云欬嗽也以此解彼以彼釋此不為之辨嚴子禮云
嗽者古人所謂欬也張從政云素問稱欬嗽僅止四處其餘言
欬而不言嗽欬論一篇純說欬而無嗽字由之欬即嗽也嗽即
欬也其說似是未足以據素問之稱嗽僅止四處故以為一則
其稱嘔吐亦爾稱嘔者多而連稱嘔吐者少亦為無別可乎蓋
以外証言之則欬也者嗽之甚者而嘔也者吐之甚者也故稱
欬則嗽可知槪嘔則吐可知是內經之旨也又古人有乾欬欬
逆之語無乾嗽嗽逆之語史氏指南楊氏直指俱有乾嗽之語
王氏資生経有嗽逆之語此不知欬嗽之有別而妄以造語耳

而後來或以有痰無聲為欬有聲有痰為嗽或無聲有痰為嗽有聲有痰為欬嗽或以聲出于肺為欬欬而連聲為嗽之類鑿空無稽之談素不足據也而欬字通作咳按說文咳小兒笑也其義自異故魏子才謂俗書以欬作咳非然莊子漁父篇幸聞咳唾之音春秋繁露氏病嗽咳嗽筋攣又八十一難皆作咳字其来尚矣

孫對薇有聲無痰之謂欬有痰無聲之謂嗽然謂無聲者無全無聲也欬而易出聲之不甚響也謂無痰者果無痰也嗽而費力痰之不易出也此解辨晰甚詳○証治百問所論亦確

癥瘕考

虞庶難經註瘕者謂假於物形也又陳言三因方瘕假也假物成形也按瘕之與癥素爲一病共是積之別稱蓋積之初成澼沫瘀血殗食滯氣之類屬稸結而成形是其初假物故謂之瘕其形已見可以徵驗故謂之癥巢元方云塊段盤牢不移動者癥也言其可徵驗也虛假不牢者瘕也言其有形假而推移也雖有結瘕而可推移者癥瘕也乃以瘕之與癥爲異證又以癥瘕爲一異證殆屬牽觧夫内經有水瘕（靈樞邪氣藏府病形篇）石瘕（同水脹篇）虙瘕（素氣厥論）血瘕（同陰陽類論）之語倉公有蟯瘕遺積瘕之稱仲景有生蟲成瘕之說並是假物之義不言其虛假可移然積之爲癥

或

塊段盤牢或虛假可移或往來搪突或見或滅或長或縮無一狀之證故以移者爲瘕以牢爲癥誤矣若蘩瘕(搜神記)作鱉癥(病源)氣瘕(肘后方)作氣癥(所經)其類不一而足則其義可觀說文瘕女病也張子和又云但女子不得之疝而得之瘕此爲槪論霍俣摶云瘕遐也歷年遐遠之謂也此又不是而劉純云瘕者血病也似不可言爲聚聚者陽氣也然大小腸移熱爲瘕如此則亦聚爾今世或以瘕爲聚以癥爲積云瘕也者忽聚忽散假見其形即聚也假見其形即聚也癥也者其形常見可徵即積也執內經帶下瘕聚(素骨空論)七疝瘕聚(同氣血論)之語爲之證左然內經聚無聚散之義所謂聚唯積耳其爲聚散之義始見于五十五難暨

讀

金匱要略而瘕聚猶言積瘕（史倉公傳）可觀瘕即非聚矣或又云瘕即疝也據内經疝瘕少腹痛（平人氣象論 玉機真藏論）之語然是疝兼積者猶厥疝（五藏生成論）癥疝（脈經）之類淮南子病疵瘕者捧心抑腹劉氏新論瘕疾塡胷可觀瘕又非疝矣

醫賸癥者徵也亦猶積也瘕者假也亦猶聚也

酸削考

酸削二字文者異稱而無確義本草經磁石主周痺風濕肢節腫痛不可持物洗洗酸痟（証類作酸消）又本經蠡主寒熱酸慚（鄭康成周禮註云痟酸削也正義酸削即酸嘶也釋名作酸消玉篇作痠瘠（思亍切）病源作瘦㾖又作四支酸灑（解諸毒候）資生經作酸折龍

過

龕手鑑瘯古瘯字㾞瘯瘍瘟並俗字而許慎謂酸痟即頭痛也
劉熙謂酸遟也遟遒在後言脚疼力廿行在後以遟遒者也消
弱也如是割削筋骨弱也賈公彥謂頭痛之外別有酸削之痛
也然不指的爲何證若金匱要略勞之爲病陰寒精自出酸削
不能行又千金方紫石英栢子圓治酸嘶恍惚不能起居又千
金圓治婦人寒熱羸瘦酸消怠惰又寒熱酸痟痛四肢不舉腋
下腫馬刀瘻陽輔主之又總病論傷寒三七日至四七日勞痟
不歇熱毒不止即其所指或頭或脚或爲肢節或不詳何證亂
謂此猶酸疼即酸疼之謂也削猶割削譬疼痛之甚也其他不
過假借相轉耳唐慧林一切經音義嘶又作㾷聲類酸疼也

吉[illegible]堂藏板

廣韻瘦瘯疼痛並此義矣清魏荔彤金匱本義曰酸削腿脚酸
輭肌肉瘦削遂不可行立也是以削爲瘦削非是若劉説
最爲强解

服藥命名考

服藥之法有湯有飲有散有丸有煎有膏唐以上則其製各異
後世不詳其義互相混用蓋湯説文曰湯熱水也从水易聲此
以諸藥㕮咀水煮服之或以麻沸湯漬之去滓温服也飲周禮
酒正有四飲酒漿之謂也故假爲服湯十棗湯是也或爲粗末
水煮謂之剉散丸通作圜擣篩爲末蜜和合丸若用杏仁粗末
水煮謂之剉散丸通作圜擣篩爲末蜜和令丸若用杏仁桃仁

○之義散擣篩爲末以白飲和服其水煮服之或爲煮散仲景又謂之湯

等省合研如脂爲丸以飲服之其水煮服者與湯同法煎說文曰熬也以火前聲方言曰凡有汁而乾謂之煎此以諸藥㕮咀水煮去滓以竈灰酒蜜地黄汁等熬令水氣盡服之其爲丸者謂之煎丸膏製與煎同以松脂猪肪等合和以飲服之或用貼瘡其摩體上者謂之摩膏也夫古之治病有湯液醪醴本草經方之書不傳則其法不可得知自張仲景株錄衆方迨及隋唐名醫漢而述之其製以爲詳備南宋而降方書多失其旨若不用名藥而稱之丹不用脂油而稱之膏殆無謂矣丹藥義先子詳醫賸張景岳新方多以煎字命方然其製與古方不同唯是水煮服之者蓋不知煎即熬之義與煮爲異且古方湯飲系煮

不云水煎說文鬻亯也以鬻者聲或从火作煮是其義自判古方所以不相混矣張路玉曰仲景云圜者理中陷胸抵當皆大彈圜煮化而和滓服之也丸者麻仁烏梅皆用小丸取達下焦也傷寒纘論考趙氏重雕宋板傷寒論五方並作丸千金方引作圜字蓋古通用焉葉仲堅曰飲與湯稍有別服有定數者名湯時時不拘者名飲金鑑案千金方蘆根飲子有隨便飲之語是為方縮脾飲等所源也然古方湯飲似無甚分別矣程宗衡曰飲歠也丹丸之大者也膏藥之潤者也此說不可據宋人方書所稱膏者擣篩為末蜜和如膏者製同理中陷胸抵當丸等唯不為丸耳若瓊玉膏古方所稱煎是也

崔錫考

王仲任論衡曰儒者言甘露其味甚甜未可然也儒曰道至大者日月精明星辰不失其行翔風起甘露降雨濟而陰一者謂之甘雨非謂雨水之味甘也推此以論甘露必謂其降時下適潤養萬物未必露味甘也亦有露甘味如飴蜜者太平之應非養萬物之甘露也何以明之梅甘露如飴蜜者着於樹木不著五穀彼露味不甘其下時土地滋潤流濕萬物洽沾濡溥由此言之爾雅云甘露時降萬物以嘉是近得實緣爾雅之言驗之於物案味甘之露下著樹木察所著之樹不能茂於所不著之木然今之甘露殆異於爾雅之所謂甘露欲驗爾雅之甘露以

萬物豊熟災害不生此則甘露降下之驗也按是說爲甚得呂覽貴公篇云陰陽之和不長一類甘露時雨不私一物可以證焉而大戴禮公冠篇集地之靈降甘風雨又承天之神興甘風雨風豈有時乎亦可證焉而所謂露如飴蜜唯著樹木者是雀錫也南史陳後主記禎明二年覆舟山及蔣山柏林冬月常多采醴後主以爲甘露之瑞又王定國甲申雜記云周仲元章作漕淮南謂予曰嘗爲衡陽宰一日邑吏云甘露降視松竹間光潔如珠因取一枝視劉貢父貢父曰速棄之此陰陽之戾氣所成其名雀錫飲之令人致疾古人蓋有說吾當求博識之君子求甘露爵錫之別又胡仔漁隱叢話載復齋漫錄云熙寧六

年冬建昌軍城北五里間甘露降於進士徐上交別業松上濃
厚如酒其味甜香上交折松枝獻於大守張子方子方率僚屬
就觀之欲以上聞路過鳳凰山中牧童見車馬相吽呼曰此山
上亦多甘露何獨徐家地分乎群童亦各持松葉吮弄甚多時
有鄰以賣糞於市者語以曰太守不察耳何物爲甘露自天
降而徧於數畝間乎吾嘗客華陰縣民亦有以甘露降告縣者
縣令因出自梅之有道以笑昔縣令怒械繫之道人曰譬如人
身精液流通均布六七十年若其壽短促則涌併於未死之前
矣此木將枯故耳官以不信請留我以待明春此松必不復榮
也縣令如其說果驗昔元祐丙子軍城西天慶縣松一枝有甘

[illegible]堂藏版

○甘露色微紅凝結如脂如珠馨香而有酒味又稱

○杦

書[illegible]堂藏版

露郡人皆以爲祥及此聞野夫之說有詣天慶觀觀之者時甘露所降之枝果色先又張存紳雅俗稽言云今上萬曆間湖廣巡撫趙公可懷後園中譁言甘露降未幾有宗室案仁之禍謂爲雀錫云又孫之騄二申野錄云近有一種絲曰雀錫其色白濁其味甚甜其臭松脂嚼之膠舌頗童飢食之則病多食之則死今人不辨眞僞以爲甘露謬矣又云天雨爵錫爲飢荒不出三年改易王者爵錫如甘露著樹黄者是也白者甘露是諸書所載若此則可以翼王仲任之說而郎瑛所謂甘露是諸書所載若此則可以翼王仲任之說匹氏云黄者甘露恐亦雀錫類矣田藝衡留青日札稱嘉靖三十五年

乙卯十一月十六日遊小小洞天偶見甘露降于品崑松竹葉上摘而飲之信如凝脂甘飴生平壅穢肺脹一旦淨洗因作詩云云後二十二日與諸友復遊品崑忽遇甘露從空而降天無片雲正午時也蔣子久大駭異之作詩贈余云云又引茗溪漁隱說稱此妄言也無知傖子復信其言何哉今甘露降于空中視以十目指以十指非夜中松上所凝結者况竹木初未嘗枯槁則漁隱之言不亦信乎其妄哉亂謂田氏之説屬于偏執未足信也嘗聞之蘭山小野先生博曰草木蕃茂者葉間時生蚜蟲形若黍粒好咂樹液其尿甚甜故爲群蟻所舐隨舐隨長後羽化而去又有草木將枯生此虫者凡樹有此蟲則枝葉凝露

寶素堂藏板

甘如飴蜜若人過其下若微雨撲面因誤為甘露從空而降不知是蟲所溺則雀餳者也其生松栢者亘四時而每有鳥虫是觀之田氏以其從空而降與竹木不枯執為確徵然露之下在于黎明見晛即消豈於正午時亦有降下者乎是未究其理每謂古人謬亦甚矣而仲任以爲太平之應後人又為匪禎之徵然閭家嘗有雀餳生於庭樹後亦無他故則知是等微物豈有何應乎

壽僊堂藏版

徐氏世系考

徐氏以醫著于晉隋間二百餘年不唯以其術神良所樞奕業相承致位榮顯古今方伎家所無今據史書叙其世系以

識于左所撰經方之書著于拙著醫籍考仍不贅焉

徐熙　字仲融　東海人　仕晉　濮陽太守

秋夫　仕宋　射陽令

道度　仕宋文帝　蘭陵太守

叔嚮　仕宋　大將軍參軍見晉志

嗣伯　字叔紹　仕南齊正員郎諸府佐
南齊書褚澄傳作東陽徐嗣

文伯　字德秀　仕宋孝武及明帝
鄱陽王常侍

謇　字成伯　丹陽人　家本東莞　為慕容白曜所獲
入北仕魏中散內侍長　中散大夫　右軍將軍侍
御師　鴻臚卿金鄉縣開國伯食邑五百戸
正始元年光祿大夫平北將軍贈安東將軍齊州刺史

雄　仕梁員外散騎侍郎

聿脩堂藏版

字士茂丹陽人初仕梁丹陽主簿豫章王右常

侍鎮北主簿後入魏仕北齊散騎常侍秘書監

之才 金紫光祿大夫侍史池陽縣伯尚書左僕射以 兗州刺史尚書令西陽郡王侍史太子太師

贈司徒公錄尚書事謚曰文明

之範 仕北齊尚藥典御儀同大將軍襲兄爵爲西陽 王齊滅入周

敏齊 仕隋贈朝散大夫

陏志有徐王八世家傳効驗方十卷唐志曰徐之才撰蓋自

熙至之才六世併其族祖叔嚮及嗣伯則爲八世之才封西

陽王故稱徐王也

陏志曰梁有徐奘要方一卷無錫令徐奘撰徐方伯辨傷寒

一卷辨脚弱方一卷雲麾將軍徐滔新集藥錄四卷又曰藥方二

十卷徐韡卿撰是又當熙支族
隋志有徐大山書數部考大山當似是指嗣伯蓋志載徐嗣
伯落年方三卷又曰墮年方二卷徐大山撰落墮義同二書
即是複出
南齋書有蹇子踐之才從兄康及長子大尉司馬林字少卿
次子太子庶子同卿並不以醫所稱故不列于世系

書[illegible]堂藏版

聿修堂藏板

[illegible]館堂藏版

醫案

一婦人年十八初懷八月脚少生腫既及踰月漸徧肢體心腹脹滿短氣倚息口舌瘡爛害食故喫餌更減漩僅合許而澁痛屎又隔二三日以一解少不乾硬即其為症危過風燈唯診其腹胎無他故切其脈沈實以數則一綫之生理喜其存焉蓋經血當平素之時環流莫止下為紅潮其懷也聚于子宮壅以養胎而氣又隨之動易鬱轎且外感濕毒則每生腫脹今夫此婦亦嬰其患而洪腫短息喫餌更減殆似虛候然濕毒之氣與胎熱相併上生口瘡下為漩痛而脈沈實以數胎無他故則直撥霸劑亦為穩帖所謂有故无殞亦无殞者也然屎隔數日以一

解少不乾硬即知胃氣微弱不得傳送屬陰結之候未可妄投
霸劑即單利水道清濕熱不用治口瘡顧兒胎前諸證輙愈毋
子恃若則掌珠之珍不日亦可得矣擬方聖惠方桑白皮散加
犀角營實吳茱萸以冬葵子代冬葵根以枳實代枳殼 方
桑白 冬葵子 茯苓 木通 枳實 商陸 澤瀉 犀角
吳茱萸 營實
一男子年五十體氣面蒼患疝數歲莫日不藥去夏之季脛生
微腫至秋初連體漸脹尋及胸腹小溲短少大溲秘燥七八
日一行口實亦減息氣喘咳脚弱膚瘇不能自行坐焉醫濟以
利水之劑百方不較因為脚氣改以唐侍中脚氣攻心方加大

黄兼用吳茱萸芫花甘遂商陸等作丸投之則不徒便秘如故舊恙為之觸起腹裏詵詵攣痛增一个煩惱而已旣及冬孟延一醫診之以為腎虛與八味丸料雖服之不激諸證綿連而洪腫膨脝其狀如匏隱器亦脹心膜時痛舌上白胎因循徐徐診其腹塊在臍傍而下及小腹急滿如鼓重手按之痛不可禁且倦怠懶語不得轉側日啖稀粥數口所飲水漿僅三鍾許溺不過其三之一乃阽危瀕死之狀於是極矣然其腫緊齊捏不沒指卧蓐以還脉沈緩帶數而又有神雖孏倦不昏迷云按此人素以下焦久寒搐結痃瘕不能令膀胱州都之官湏洞善容而水穀之氣菀屈湮陳不得輸化衆濕邪滛於膚腠泛濫外溢而為

外臺引蘇長史論凡脚氣病雖苦虛羸要不可補之

水脹矣然夫前醫療之利水也瀉下也補虛也無一奏效反增滔滔之勢矣今以亂原之阽危瀕死之狀其極如此久寒稸瘕之患亦已如此則其雖補之可乎然嚮已施之綿連不効而彼腫不沒指大便秘燥與脈之有神又雖下之似無不可然業已行之後鑑其有則改欲單利之水始已試之百方不較知利水也補也下也不得復能久也決矣蓋息賁喘咳口実愈減者水毒騰撞之所致若心腹時痛拘攣之痛不可禁者不獨舊湿患之餘起必有正氣不能從膈暢通而倦怠嬾語不得轉側者舊湿患新病交攻孱體以至累月則宜方爾耳且古人謂凡脚氣雖苦虛羸要不可補之則峻補之劑其固不可施也必矣然則非解毒

下氣利其小便則不能令水道闢通哉乎　擬方千金犀角旋
復花湯加吳茱萸兼以虎魄海金砂作末服之
一男子年二十五一日行路忽覺短氣及歸于家心下痞滿飲
食失味爾後脚膝緩弱難以步履脛跗微腫麻痹不仁搔之如
隔衣二三日後肩背頰腫面亦龐然而色黯慘大便自可小便
減少行步短乏不足以息醫為中濕與除湿湯加朮凡五六日
不見寸効今也胕腫稍盛頸脈盛鼓虛里應衣而跳動加以微
咳心下愈痞按之輙痛夜間少熱小便轉減不過水漿之半脈
沈實而數來去甚鋭然間蹇瀋病人自云動作不衰食亦不減
按是大實脚氣夫人行立于冷濕地風毒因此蒸入經絡留連

聖濟堂藏版

筋骨之間血氣澁而膚膝閉故脚膝緩弱麻痺不仁及其内攻滯澁胸間陰陽氣道結轖不通水漿不能以滲膀胱外溢為腫故心下痞滿小便減少短急不足以息醫遂不察徒投驅湿開苑之藥羈遅數日而至於氣逆薫肺頸脈盛鼓淡飲湧起宗氣外泄虚里應衣而跳動加以微咳心下愈痞小便轉少其不見寸効可謂冝也其脈沈數来去甚鋭是蓋駃之象則三品中之悪脈而蹇濇者内經所以謂為痺此證之本脈也且今病人自云動作不衰食亦不減則其見実者知是真之実冝直以下氣行水之劑而兼灸于千金所載八處穴幸得奏効　擬方唐侍中治脚氣一方加猪苓桑白皮　間服三將軍丸

一男子年十八初因外感醫用葛根湯汗之邪雖稍退往來寒熱心胸煩悶食餌不進醫因改與柴胡桂枝湯尋於小柴胡湯中加枳實黃連投之二三日寒雖罷熱不攘而潮午後至晚漸退口舌乾燥白色黃褐食餌更減不甚煩渴小咳吐痰時時乾嘔識雖亮然時或譫語小便黃而快利臥枕以還登圃者二初自謂後頗滑心下微鞕腹中雷鳴從臍連脇按之輒痛脈浮數而弦綿弱無力按是非醫者因莽投劑失治乃藥力不能以敵邪者也蓋形體圓融而血脈通暢如金甌無一缺傷及乎一旦有隙害之者易乘焉今此病人素蓄水癃寒邪乘隙未致內陷胃中虛冷下焦之陽逆散于外上焦之陽霍然成實火氣浮越

而所致也夫發汗之後邪雖稍退往來寒熱的是桂枝柴胡之所解心胸煩悶亦是枳実黄連之所主則投對證之劑不解了者藥力不能以勝邪可見而觀焉其潮熱者無根失據之陽而非内實之熱口舌乾燥胎色黄褐者但是上焦之火浮越津液枯燥之所為非邪熱在胃薰騰于上也而雖煩渴不著引飲欲自救小便快利大便自調者豈非胃中虛冷邪食餌更減胃氣不能以殺穀也心下微鞕腹中雷鳴從臍連脇按之輙痛小咳乾嘔者所畜水飲也真陽逆散胃氣將絶神不能守其舍故譫雖亮然時或譫語且脉浮數而弦綿弱無力其危可知也脱誤為胃實而行霸道禍不旋踵因擬用既濟湯加黄連五味子此

方蓋附子大熱，逐散虛寒，伸發眞火，人參同麥冬大補元氣，且生津液，竹葉之涼，清上焦之火，消痰止渴，半夏以利水，癃下逆氣，加黃連以消痞鞕，粳米和中調胃，加五味潤肺止咳，甘草甘平，令諸藥調和，縱其材力，此則混用寒熱，兼補兼瀉之劑也。如是，庶其令元陽恢復，胃氣和調，則形體圓融，血脈通暢，或見再生乎。

先君子曰：論方精到，文亦可觀。

聿脩堂藏版

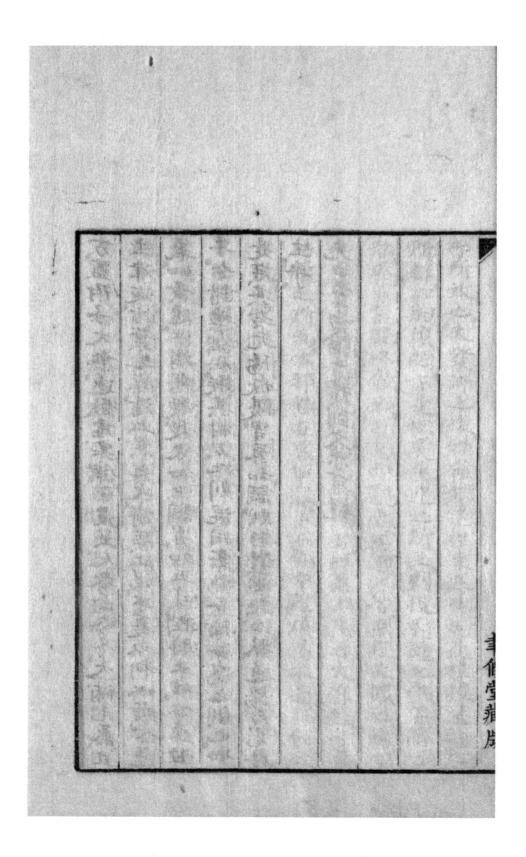

書堂藏板

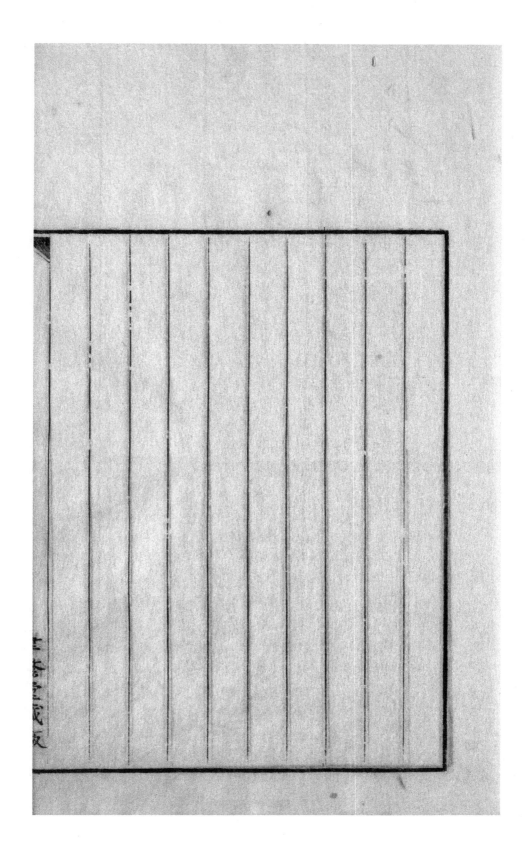

聿脩堂藏版

書

與曾士考論藥性討源書

士考足下往日持所著藥性討源一書命序併令僕詮正僕才識膚淺何以副之乃退而繙閱之若其新立闇味戾味之目及香臭油膩煮製之法悉為詳解且排五味而立闇擧頭韻而列目聚庶之品可以供醫藥者性味功用逐件擧之約而不繁使人一披瞭然若指諸掌其識見精卓多闡前人未發之義僕輩豈可容一喙耶然僕竊考之中間尚有未能釋然歛衽者何則内經之書雖集乎秦漢人之手托言軒岐者其宗旨則在昔名醫之所傳其論公正在我醫家實為萬古不磨之典學者皆此

聖修堂藏版

無門可入手闡奧故若壯火之氣衰少火之氣壯及辛甘發散爲陽酸苦涌泄爲陰則古人說藥物性味之祖也其他諸篇鑿鑿乎論之精且至矣今足之下闍而勿道僅摘其一二者是僕所不解也袪胡醫学之說方容之聲律發其緒王宏翰譯爲一書僕始讀之其究理格物幽微細核剖牛毛數蚊睫不足以爲譬也心竊感之就世醫之爲其說者而質之亦猶若是然觀其所施體療之術則不能一如其言而貽害不尠蓋其古非有累驗經効不過一時嘗試也故是乎僕渙然有覺古人有言曰理者妙於有而歸於無其變不可知不可言也蓋袪胡所謂理者則不然非目可視而耳可聽舌味之而鼻嗅之手之所運足之所履者

不能究其旨趣也苟有不能究斷乎以爲必無此理此非我聖人所以格致之理也蓋袪胡之所長筭曆象製造器械者抑亦技巧之流耳以是推及於人體之理則其勢不得不剖解肢體求疾病所由其弔詭怪誕莫甚此矣幬載之所育融結之所生凡庶動植之類有造化自然之理而存焉況人爲衆物之靈其所稟亦豈凡庶動植之類耶雖至聖其必有不可知不可言者豈止得以視聽之所限究其旨趣矣嗚呼彼解朽腐之屍欲攻體療之術其是爲妄歟將是爲殘歟古聖人之爲政仁及枯骸醫之爲術亦以仁爲旨則雖刑餘豈忍剖人體耶有乖乎國家好生之德其罪莫大焉且也世有解袪胡之書者雖稱精

書參堂藏版

語其所譯一日不過一二員則知其不得悉致曉會清乾隆中
高宗詔曰理藩院所擬諭旨示蒙古王公等多不能解緣繙譯
人員就虛文实字數衍成編遂致不脗合又如德通所繙清文
阿岱閱之往往不能盡曉蓋非阿岱不通清語乃由德通拘泥
漢字文義牽綴為文於國語神理未體會是岐清語與清文而
二之無怪其相背也夫理藩院司員每與蒙古王公相親炙其
謬者此德通亦是滿人解其清文遂致岐誤可見異邦之音不
易曉會蓋
皇國與袄胡之地東西邈乎不可以里程計烏而胡商入貢隔
以三歲則都下醫人與此相晤者亦不過數日乃雖從象胥之

徒而爲習諳衡行之字濩舌之音必不能精曉則其所譯諸書究竟多無鄙書燕說豈止若理藩院人員及德通之儔耶故其體療之術不能一如其言良有以也夫祆胡之說爲害若此而譯之者固不可信亦若此矣僕與足下嘗論及之足下亦發一喟曰與某同學乎藍溪公者亦有陷其彀中者豈可不慨然耶僕至今竊佩其言既閱此書中間多有採錄祆胡弔詭之說而忽棄軒岐公正之論是僕所不能釋然歛衽者也足下求歸于雅道改汰其異端則此書可稱大醇無疵是僕所以仰于足下也足下受業于僕祖考之門幸又不以僕駑劣所背而眷眷下問則其於交誼亦渥僕意有所不安者不敢忠告耶足下有恕

其唐突之罪莞采鄙言則幸甚幸甚若拙序請緩數日是祈

又與占春書

占春足下匪躓髙堂得聞清論使人口呿而頤解其洽覽多識何至此乎而所示毛西河詩傳鳥名中鸎及鸝黄二說予時謂精核既退考焉其謬妄不啻之談不可據矣何則查說文有鶯無鸎曰鶯鳥也从鳥从𤇾省聲詩曰鶯其羽此鳥毛采可愛故命以華榮之意也鸎字始見師曠禽經曰其鳴嚶嚶即似以鸎爲从嚶省聲誤矣鸎字从賏賏說文曰頸飾也从二貝其頸有文因取義也李東璧亦嘗謂之若西河所謂二目在鳥上則是鸎字或从二火則鶯古今字書所無又若師曠解則是鸝鴟之鸝

先考嘗藏劉柳沂與山本菉庭之手書其字古樸淡雅望之想見先生平生之梗概矣己未二月其嗣子元信號大淵常袍於得其書余嘗有其先人手澤之所存達致之時取此書校之間有異同蓋當時草本而後有所改刪歟是月晝將寄致校畢聊記來由雖然六年也寶書後人[illegible]馬

義不相涉也西河又曰鸝字始出玉篇其意以麗爲䴡麗之義不知西漢已有此文楊雄方言曰自關而東謂之鶬鶊自關而西謂之鸝黄郭璞註云其色黧黑而黄因名之蓋鸝與驪同从馬爲馬毛黑者从鳥故與黧黄之黧同也西河未讀説文而好異逞臆强爲解事宜其繆妄不瞽之甚矣高明以爲奈何敢乞訂正時冱寒凜乎徹骨爲道自愛

與山本菉庭論諸病源候論書

頃於弟堅石町新築見足下所撰諸病源候論解題第曰若其全書足下又爲訂正先揭此篇使僕兄弟有所參校乃持歸閲之其辨證之精近世醫學之書所未嘗有也諸病源候論一書

書參堂藏版

通行本舛誤特多覽者每苦之今幸因足下之力一掃烏焉則足下所以嘉惠來學者亦至矣呂滄洲曰巢元方病源論附會雜糅非復當時之舊僕嘗以此說爲謬於拙著醫籍考辨之足下據外臺聖惠及醫心方擧其佚脱且謂三因方稱有一千八百餘件今本唯載一千七百二十六論則其爲殘闕亦明矣僕意於是竊慚所見之未博矣呂又曰吳景賢亦作病源一書近代不傳足下又皇張其說以巢吳所修爲非一書僕意於是又覺有未然者何則考之四庫全書提要曰隋志有諸病源候論五卷目一卷吳景賢撰舊唐志有諸病源候論五十卷吳景撰皆不言巢氏書宋史有巢元方巢氏諸病源候論五十卷又無

則作者 著作置

吳氏書惟新唐志二書竝載書名卷數竝同不應如是之相複疑當時本屬官書元方與景一為監修一為編撰故或題景名或題元方名實止一書新唐書偶然重出觀晁公武讀書志稱隋巢元方等撰足證舊唐志所列不止一名然則隋志吳景作吳景賢賢或監字之誤其作五卷亦當脫一十字如止五卷不應目録有一卷矣僕意此說為得唯以吳景賢為吳賢監撰者謬矣足下謂舊制修書只舉局中官高一人姓名云某等奉勅撰無列銜者然宋詞臣等校正醫書者同局諸人署其姓名則巢吳等修撰卷首亦必列銜蓋巢書成于隋大業六年是歲始興遼東之役當時麦鐵杖請為前鋒顧謂醫者吳景賢曰大丈

[illegible]蓉堂藏版

夫性命自有所在云云則元方與景賢眉睫相接豈以同時人
其所撰書復有同名者耶魏徵等修五代史志親見其真本故
特著景賢名而畧不及元方歐陽修新唐志以見行本當失隋時
之舊唯署元方名是以併隋志所著景賢名偶録之者而非現
有巢吳二書也足下取僕先人議傷寒論之言論此書且謂新
唐志所著爲據外臺引此書者然外臺所引諸書新唐志又有
失載則其説未確足下又謂此書冠以巢氏二字林億等稱爲
巢源者似嫌與吳氏書同名然千金要方題孫真人字者孫書
外又有名千金要方者歟足下又謂隋志作五卷非脱十字而
別有目録一卷者巢氏書五十巻有一千八百餘篇吳氏書豈五

反作稍
王太僕作王冰　托作撰
當下有矣字
奪理作過密
作回

卷其論當不下二百篇則必有別目錄仍引隋志所著本草藥性等書以爲曲證矣足下又謂靈樞則後人掇合古經所作更據四庫全書提要以難經爲在于素問之後靈樞之前而靈樞視之素問實係晚出較之難經反爲古書若足下之言則殆是抗世駭所謂王太僕僞托者歟夫考據之學所要在于詳確固不可失之于疎而又不可旁証互引以爲傅會今見足下所撰其言雖精恐不免強辨奪理矣顧寧人詩中用南史某事自註出典毛大可見之云顧氏獨讀南史乎足下亦多下註腳僕更恐有爲大可之言者矣足下才俊學博而虛懷若谷不以下問爲耻僕資性質陋又何所知然竊念交友相規之義鄙見所及

說

聿修堂藏版

聊陳大較以致諸左右別有數件可疑者餘期面質狂言有採幸甚伏惟鑒裁時溽暑將至爲道自愛

山本恭庭名九文仲

與山本恭庭書

往日在醫學足下問僕胞有幾義僕答以子宮膀胱兒生裏足下謂別有一物居于膀胱之中者併以爲四也僕曰膀胱中固不容一物不可析胞與膀胱爲二足下據王氷素問註以僕言爲誤時僕不欲稠人中娓娓辨之迺退疏其質諸左右夫靈素稱胞有二義五藏別論氣厥論示從容篇五音五味篇所謂胞者子宮也痺論五味論所謂胞者膀胱也王氷註痺論曰膀胱津液之府胞内居之王安道泝洄集誤據其言云膀胱固津

津液之府至受盛津液則又有胞居于膀胱之中有上口而無下口津液既盛於胞無由自出必因于氣化而後能漸浸潤於胞外積於胞下之空處爲溺以出於前陰也張景岳質疑録駁之云胞字以子宫爲言又有以溲脬爲言後人不知遂因經語認膀胱與胞爲二物甚屬不經夫膀胱即胞胞即膀胱也焉得復有一物居膀胱之中此言實爲有理蓋氣厥論舉五藏六府寒熱相移之證皆是自彼及此者故至胞移熱於膀胱則女子之病自子宫及于膀胱也若以胞爲膀胱中受溺之器則不可以移熱也痺論擧五藏六府之痺有胞痺而無膀胱痺且曰胞痺者按之少腹膀胱内痛則是直以胞爲膀胱也史倉公傳曰

齊王大后病召臣意入診脈曰風癉客脬難於大小便溺赤病主在腎腎切之而相反也脈大而躁者膀胱氣也躁者中有熱而溺赤正義云脬亦作胞膀胱也言風癉之病客居膀胱是始稱脬而後稱膀胱其義與痺論同五味論所謂膀胱之胞者猶本藏論稱膀胱為三焦膀胱則以二物為一義也且以膀胱與胞析之為二經無明文但出于王氏之註固不可信焉是則僕所以於足下之言未遽聞命也貴衷以為奈何謹以就正伏希鐫誨

再與山本蓁庭書

昨日千賀伯寧有書問僕以胞字義併欲憑僕質諸足下意與

僕前札相符其言似有理爲乃呈之左右不審以爲奈何惟垂
鑒

附千賀伯寧書曰曩袁宗允兄於醫學與足下論難内經中胞
字之義妙説紛紛所攄各有理而未有定僕在旁聽之退考
其義胞从肉包聲説文兒生裹也包説文象人裹妊已在中
又莊子庖人作胞人註庖之言苞也裹肉曰苞苴然則凡肉
之包裹者似皆可謂之胞也猶絡之包心者謂之心胞也因
又稱包血包溺之外膜亦爲胞也五藏別論所稱女子胞五
音五味篇衝脉任脉皆起於胞中者子宮是也氣厥論胞移
熱於膀胱五味論膀胱之胞薄以懦者溲胞是也雖所指各

和

異其義則同且夫膀胱之胞薄以懦則其爲外膜益明矣僕所考如此足下以爲如何若有可取者此紙併足下說示宗兄如何不具

答奈須玄盅書

承義問享保刻本劑局方典藥頭橘親顯序幷凡例中疑事謹領親顯序稱吳直閣寶慶淳祐增添諸方者許洪所增置也來諭謂寶慶淳祐俱係理宗時年號則不審嘉定中人何從得增置之其言固是親顯之説可謂疎甚矣而特吳直閣雖未詳名字其所增諸家名方似出許洪註本之前何則僕家所藏南宋本增廣校正和劑局方五卷較諸元板無寶慶淳祐諸局經驗諸方

則

雖有紹興續添別不標識至諸家名方不題吳直閣增字則似是成于吳氏之手矣據趙希弁讀書附志王應麟玉海太觀中陳師文等校正和劑局方書凡五卷紹興十八年閏八月二十三日改熟藥所爲太平惠民局今宋本但題增廣校正無太平惠民字似紹興初年所輯也周密癸辛雜識曰牛黃清心丸一方前八味至蒲黃而止自乾山藥以後凡廿一味乃補虛門中山芋圓當時不知緣何誤寫在此方之後今考元板此方藥味次第與周氏所言不同特宋本以牛黃金箔麝香犀角雄黃龍腦羚羊角蒲黃爲前八味後廿一味與大山芋同但有黃芩無乾地黃爲異是則合于周氏之言矣據此考之吳直閣實爲

士禮居藏版

紹興中人其所增在于許洪註本之前而元板以諸家名方次于寶慶淳祐續添之後者何是後之重修者其非監本所輯故序于此爲耳圖經本草若來諭實爲陳源所圖許洪註之而非節抄證類本草者親顯之說固不可據也愚管之見若此伏惟鑒裁

答茝庭書

楊玄操注難經有以兩脇下及小腹兩旁爲膀胱之說高說解以說文所載膀字爲妄因攷巢源云殃火丹發兩脇及腋下髆上天竈火丹發兩髆裏尻間家火丹發兩腋下兩髆是則指小腹兩旁者亦與楊注符綂希再考

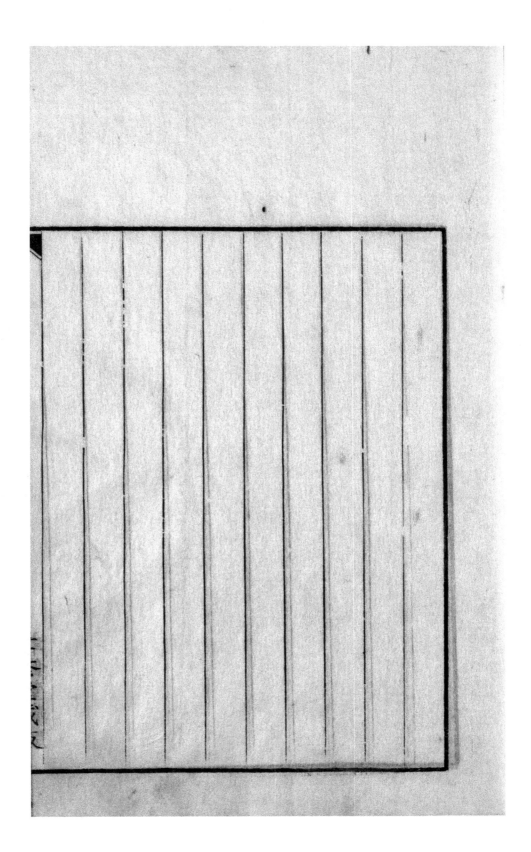

書[illegible]堂藏版

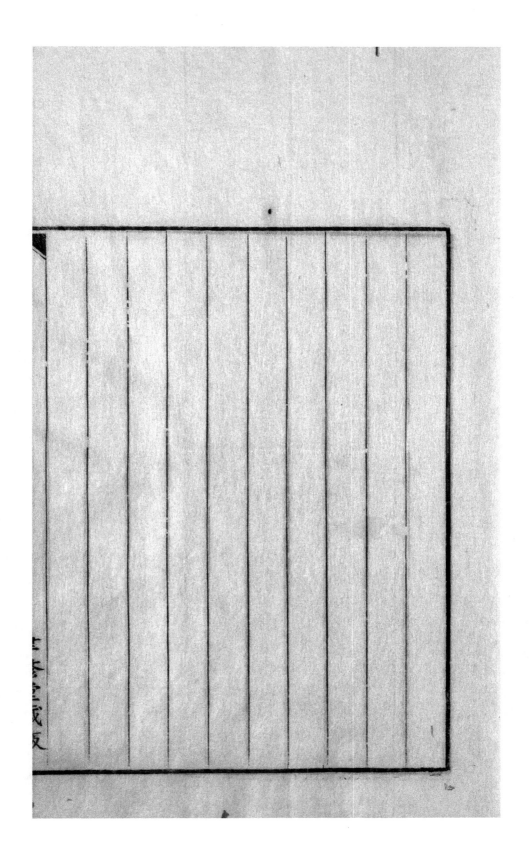

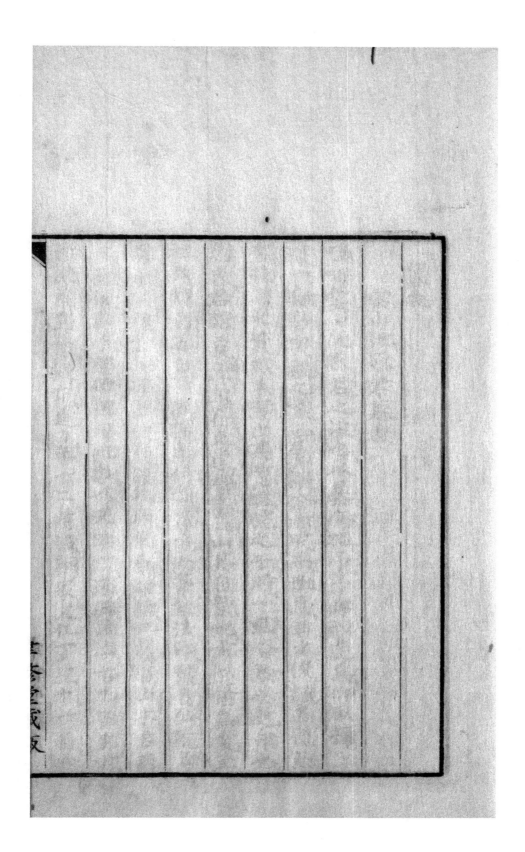

聿脩堂藏版

墓表

雲山池原君墓表

嗚呼雲山池原君之沒也以暴病招予予奔而造爲仰臥樓上有一妾旁哭視之業已屬纊余亦哭而慟焉君才俊識高傑然有絶人之資然未有出其所蘊施之于時一旦泠然以逝命也悲夫君諱良章字伯文東都人雲山其自號也世以醫爲業至祖考諱良善自布衣擢爲侍醫尋任尚藥叙法印號長仙院考諱子明號雲洞亦爲侍醫後以病免奉朝請妣醫官山本君諱三直女爲予曾伯祖母之出以天明丁未正月二十九日生君君夙兼箕裘講究是力年十二考沒嗣家文化丁丑十一月列

修堂藏版

相吉田侯傳

旨褒其方術精通明年撰爲直醫文政癸未六月二十日病卒年總三十七君幼岐嶷好讀書十行俱下從錦城太田先生而學善詩古文以淹博稱性恬退每視時師衒術爲懟不敢趨附攀援以要聲利棲遲陋巷以著述自娛茆屋蔭墻蕭然類塵外之士是以一入直房遂不復遷人罕知其伎能者所著有傷寒論大疏二十卷衍義四卷嘗賦櫻花詩以壓新春三字限韻疊至五百餘首無套一語者参酒林天瀑先生見之賞其才思富贍序以傳之君不娶無子以弟良曲爲後其沒時客遊在外垂絕之際手書促歸既歸葬君於東都谷中顯壽山佛心寺先塋之

側伐石表其墓屬余以傳遠之文君平生落落寡合唯與余情好特契於是緬懷舊時不堪知己之感敍其狀事以志之嗚呼悲夫

三浦無窮翁墓表

隱于醫以業儒訓鄉黨而抹里氓好施尚義惠被人者謂之古君子之人而可也如三浦無窮翁是其人乎翁名貞字伯誠其先仕豊臣氏在于浪速寬永中翁曾祖道圓寓下毛壬生城主阿部君厚遇之及君改封武藏忍城道圓亦從爲祖玄昌從居熊谷父適志娶神沼氏生翁玄昌至翁以醫爲業翁少負奇志又好讀書來東都從醫官長谷川玄通更講其術受經義于江

韋備堂藏版

子園及稻垣稚明道既成歸其里陶然物表以恬退爲樂自號青溪居士晚年別號無窮翁年八十以文化丙子十二月五日卒葬于蓮生山先塋之側娶松崎氏生二子男猷亦奉家伎學于予先人女適奧堂生三翁平日家居鄉里子弟從之遊者多翁諄諄教誨不見其倦遠邇請治者踵門相望翁又不以貧富易其操一皆捄治近里有富商病翁診曰不可爲也病者泣謂命不足惜惟患幼兒在襁無幹蠱者而家道永墜耳翁慨然曰汝瞑勿敢爲患拮据之事余其任焉乃撫孤教之不背遺託其家賴以保裕於是一鄉之人神其術而仰其惠稱之不容口矣於戲其好施尚義胸懷慷爽自非讀書明理之士何能若此哉

稱之曰古君子之人孰謂不然予往歲浴温泉于伊香保道過其里而訪爲茅茨數椽圖書左右迎予入坐翁年已耆視聽未衰落落然其貌也津津然其譚也所謂隱于醫以業儒者也翁所著書有道德經古義醫筌隱居放言枕塊餘編醫事漫錄及詩文集若干卷翁卒之日未嘗有病出省親故歸家倚坐而逝蓋以知命期者云男猷以狀請予表其墓予輒書之併作銘曰

機無所撓術於是乎精其有所守道於是乎明好施以尚義名重于鄉評翁也雖逝其復若生

軒村主善遺稿塚銘

余先子之在也四方之士受業誦書者數百人其學術精通彬

術手以行於時者不少若軒村主善實爲之髦然未至大施其用病療以殁矣嗚呼悲夫天之嗇其年而世復有此才乎主善名寧煕字世緝號歸默主善其別字駿河沼津人也幼孤好學志醫從同里鳴津退翁而遊年二十來東都入先子之門晰夕孜孜鑽究經術既爲人治病奇驗以能稱白杵侯女罹沈痾歷醫不效延主善療之數劑脫然自此其名日播主善才思清贍慷慨尚義有請治者不以貴賤易視是以其伎益行從學之徒亦多乎生專力於仲景之書多所心得將著一書問之乎世藁未脫而以文政五年壬午四月十六日殁于東都住吉巷距其生寬政紀元己酉正月廿五日爲年三十四娶豐田氏先沒無

予合葬于東武淺草永見寺主善之在鄉有求道志家貧無資有鈴木吉達者奇其才捐財助之其歿也吉達二子祥弘祥溫以為父執拮据後事主善所著別有雜說及詩古文數百篇二子又恐其一旦散逸附名字醫如之嘆更繕錄傳之倣古人退筆塚以其心血所注瘞遺稿于豐嶋郡平塚城官寺代石表之請余銘之嗚呼使主善享其壽而施其用以攄乎有所成名然齎志以逝豈可不嘆惋也余乃叙其志行書二字之義詳記鈴木作之銘銘曰士之廉兮動必由義天之明兮以義報之志尚所接天歟噫噫

堂藏板

聿修堂藏版

詩

新晴

雨後温暾上小窻四檐殘溜更無聲可憐抱舊餘花蕊尚曝粉衣蝶一雙

無題

此心清絶事于手一架琴書自耐娛笑殺人間無多輩終身甘作守錢奴

閑居

客絶柴門雀可羅心於世事盡消磨芭蕉夜雨藤蘿月惹得詩魔與睡魔

[illegible]參堂藏版

晏起

閉睫不知紅日上起來病眼靜摩挲呼童先試開窗見凋落牽牛兩三花

春雨

膏滋細雨暗沾沙曉起看來晴亦佳不似空階愁夜滴嫩紅蒸出小桃花

其二

似把葫盧（蘆）擁鰷尾人間十事九逹（違）心今春亦是看花晚滿地紅泥暗綠陰

大言

仁義說處魚千里物我論來貉一丘點檢人間兒戲耳到頭贏
得是巢由

街頭婦人

春風香靄木綿裙笠擁花顏壓翠雲三經彈休街棧畔背人捫
亞立斜曛

嘆春

錦錯林花已落然只看草色舊青邊人間一樣榮枯事盡在春
殘雨後天

其二

飛鳥山邊花作雪梅兒塚畔柳含烟春光強半雨中過又是衰

紅欄綠天

環翠樓春望

綠楊城外是吾居樹樹相重接𨻶閭十里輕煙春色遠半江新漲夕陽蹊蝶隨飛絮狂還舞人認翠陰醉且漢盡日登樓看不足欄干倚徧月升初

春遊

試向村園曳屐行紛華刺眼恰春晴總因好雨知時節更見東風不世情花徑泥香低乳燕柳塘烟暖囀流鶯笑吾嘗覆杯中物却想騰騰吾酒盟

又

新水平堤草和煙物光無處不春妍詩魂入夢淸明曉酒思關
心斜日天雁謝燕來知有約花濃柳嚲似相憐墨江遊舫
東台路佳伴隨羣學少年

柳泗文薹

[illegible][illegible]堂藏版

堂藏版

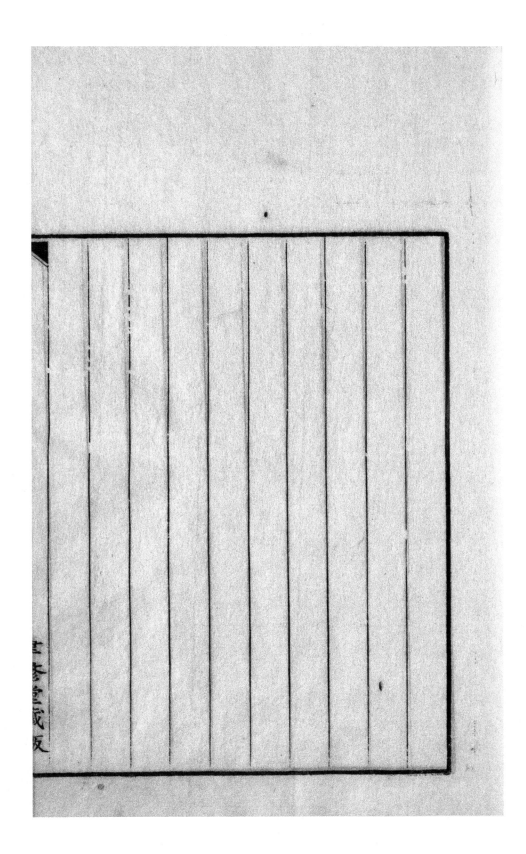

堂藏版

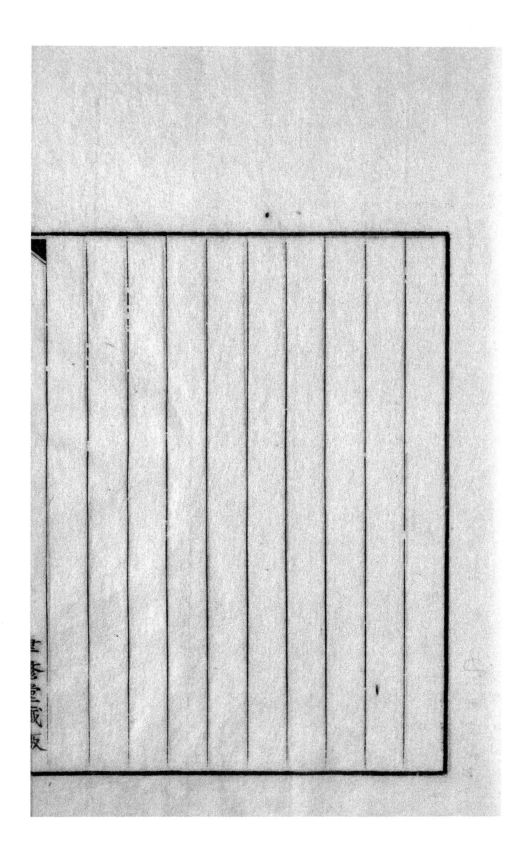

[illegible]藏版

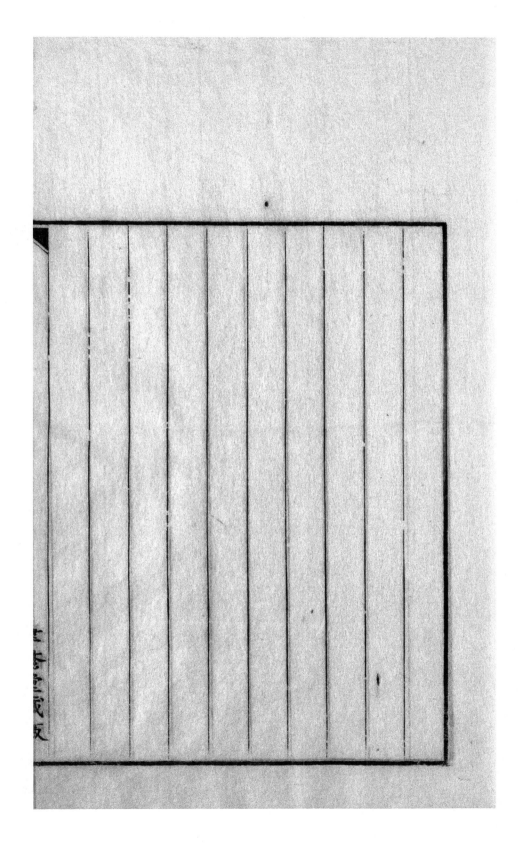

[illegible]

聿修堂藏版

聿脩堂藏版

迂巢雜存題詞

性迂疎而拙於事唯好書成癖斗室之内插于架陳于床殆若積槁枝暇則兀坐披閱忘懷萬慮中間稽疑糾繆而有得筆之以存塵篋會録成編輒呼酒落之顏曰迂巢雜存然其所論瑣屑鄙俚亦無叙次是以非知予者不敢示也壬申仲冬初一日

丹波元胤紹翁識

聿修堂藏版

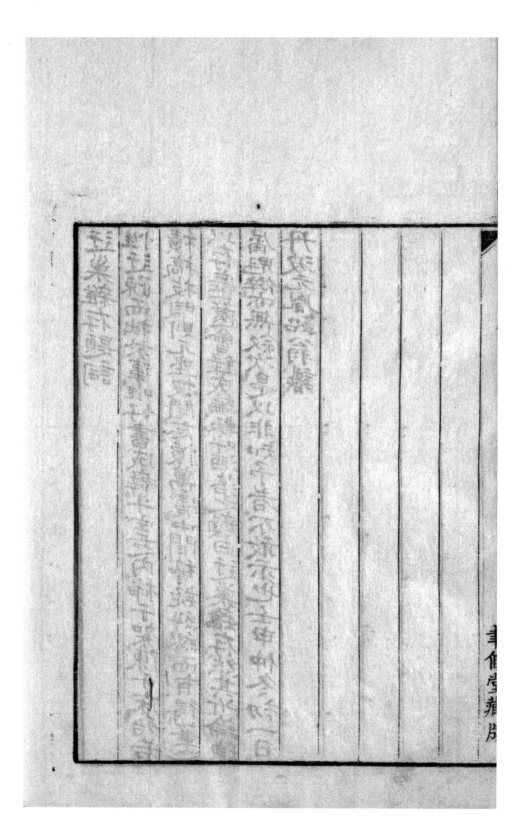

迂巢雜存

㕮咀二字始見靈樞壽夭剛柔篇張仲景傷寒論而㕮字書失載故古人不詳其義或爲商量斟酌(唐本草註)誤矣㕮咀古文同猶父與甫通(大雅緜詩古公亶父釋文云父音甫本亦作甫)說文曰哺咀也咀含味也乃所謂細切如㕮咀(本草序例)及㕮咀有含味之意如人以口齒咀嚙雖破而不塵但使含味者(本草衍義)得余說而益可確矣

魏鍾繇表有必異良方出於阿是芻蕘之言可擇廊廟語按千金方曰吳蜀多行灸法有阿是之法言人有病痛即令捏其上若裏當其處不問孔穴即得便快成痛處即云阿是灸刺皆驗故曰阿是穴也今據鍾表其語來尚矣

聿修堂藏版

仲景傷寒論有平脈法自序文云平脈辨證爲傷寒雜病論合十六卷方氏有執條辨改平脈作辨脈法合爲上下篇云說平脈者不過前數條冒事必如此耳後亦各脈安得以平脈名篇澤氏郊倩後條辨曰平即平天下之平按平對辨而言二氏所謂者恐未爲得而脈經亦有平某脈平其證篇當別有義壬申初冬偶訪友人都梁伊憺甫病語次及此二人反覆思之或云是與便通者或云平分之義俱未覺妥既而憺甫欣然曰小子得之當古與評相通因考淮南時則訓曰是故上帝以爲物平規之爲度也高誘註云平正讀評議之評也廣雅曰評平也疑竇爲之洞然後閱脈經第七卷末有治傷寒形證所宜進退

明堂灸經小兒胎疝灸囊後春冬夏較

皆

南史

晉王叔和集仲景評脉要論語此雖不知何以所記其平評相
通可以確矣又隋志有張仲景評病要方二卷
陶弘景本草經註稱朮有兩種曰白朮曰赤朮以根色分之也
至日華子改赤朮名蒼朮然蒼字說文曰草色也與赤自異不
知何故詩北風曰莫赤匪狐而南史沈慶之傳曰慶之患頭風
好着狐皮帽群蠻悪之號云蒼頭公是狐皮亦稱蒼則蒼恐黃
赭色若蒼鷹（史鄧騭傳）蒼鶻（鶻志）之類想當爾耳宋書張彪傳曰犬
名黃蒼梅堯臣詩云只畏落日聞蒼狐蘇舜欽詩曰齒搖鬢亦
蒼此黃褐之謂也蒼朮之蒼亦是赭黃黃褐之謂而已
涉園山碕子政先生（次善）嘗謂王叔權鍼灸資生經有春冬夏

書倫堂藏版

較秋灸冬較之語較字不知何義予記唐人謂稍愈爲較音與校同張籍患眼詩三年患眼今年較末句云看花猶自未分明是也即皋似之先生稱善後讀清絕昫等四庫提要書目曰程衍道刻外臺祕要頗有校正惟不甚解唐以前語與後世多異如痢門稱療痢稍較衍道註云較字疑誤考唐人方書以稍可爲較故薛能黄蜀葵詩有記得玉人春病校句馮班才調集辨之甚明衍道知其有誤而不知較爲校矣予又閱才調集馮默然註校猶可也妄人不知改作後按較與差字義同以其有漸之義讀爲稍可耳北宋方書猶有用此字者矣

晉葛洪著肘後方肘後之義未詳按方中所載皆急卒之際所

傳

能立辨而貧家野店亦易得之藥也洪自序中詳述其意如云余今採其要約以爲肘後救卒三卷是也然則肘後者即佩囊之類也言以之佩囊常在腋下而不勞他求也猶斥斂云腰間物玉臺新詠集魏繁欽詩何以致叩叩香囊繫肘后晉書周顗傳曰今年殺諸賊奴取金印如斗大繫肘後抱朴子勤求篇曰盡其囊枕之中肘腋之下秘要之旨王子年拾遺記曰浮提國獻神通善書二人乍老乍少隱形則出影聞聲則藏形出肘間金壺四寸盈腋下肘之所抵故云肘後又云肘下又云肘閒抱朴子遐覽篇有崔文子肘後經一卷李先生口訣肘後二卷俱是魏晉閒之語而其義可以類知矣友人伊澤信恬所著持

核　閬　取

來示予輙以其考據頗識之佚他日覆訂
先君子嘗謂營衛之營非營壘之義乃引營魄營運等語
以證之按錢竹汀潛研堂集曰或問詩子之還兮漢書地理志
引作子之營兮以營爲地名與毛說異且營與閒肩似耒合韻
云古人讀營如環韓非子云蒼頡之作書也自環者謂之私背
私者謂之公說文引作自營爲厶背厶爲公是營即環也說文
營訓市居即闤字徐氏未通古音乃於門部新附闤字失音旨
矣釋邱水出其左營邱郭景純謂淄水過其南及東是營邱本
圜環之義營還同物非别音也得此益知其說可確若鳳仲化
殆強爲解事耳

源内史伯賢 弘賢

予家所藏宋槧魏氏家藏方每卷捺普門院三字楷印第一卷尾有正三位知家卿親餘齡過六旬歌按普門院在山城國東福寺境内通天橋北蓋攝政左大臣道家公爲聖一國師所建也禪閣一條公諱兼良桃華蘂葉云普門院者東福寺十刹之一也乃是書國師所藏者而其刋行在予寶慶丁亥國師實以皇朝嘉禎紀元求法於趙宋則其相距僅九年據此是書原係國師所齎歸而所書歌什亦似出國師因持其手跡數本而照對宛然相契矣蓋至于弘長文永間國師年已六十故慨然書斯歌以述懐者歟夫宋槧之書已不易得而是書又係國師所齎則實爲難有是豈可不珍愛乎

捺

[illegible]堂藏版

得効方怪疾門所載与此證稍類
又類聚百九十四引經驗良方同

○薄

聿脩堂藏版

文化癸酉備前岡山府景福寺有僧堆雪者年十九患渴疾至明年其證特劇一日同侶爲之移床掃除有一物跫然落地其狀若雞蛋五竅畢具口中生齒渾然一小首也衆皆驚異詢之堆雪曰其所吐者渠自此不復欲飲歷三日而死衆輙以水灌溪中則水爲瀉而還之于水甕中霎時飲了不遺涓滴又投于溪中則水爲渴而入其口中云横井玄珹永珍嘗詳說之

内經有薄厥薄疾寠亦化薄等語註家或爲磨盪之義先君子謂當讀爲迫解孫季昭示兒論曰薄有三聲音泊者厚薄之薄音朴者疾驅聲音博者迫也但韻書中竝不收尚書益稷篇外薄四海孔氏曰薄迫也釋文音蒲各反繫辭云雷風相薄又云

言陰陽相薄也左氏云宋師未陳而薄之又薄而觀之又半涉而薄我又薄諸河又寧我薄人無人薄我楊子云雷薄於山茲當讀作博

余永麟北牕瑣記載嘉靖丁亥與

皇朝使石兕周良等每致筆談其醫專用舊方而略發揮按舊方則稱宋時官局諸方者貞和四年左兵衛督源直義夫人有病諸醫或為風擬用牛黃金虎丹辰砂天麻圓或為氣疾云須用俞山人降氣湯神仙沈麝圓或云宜合金瑣正元丹秘傳玉鎖圓而投焉云云則可見當時醫家之所用一據局方矣

先君子曰嘗閱大藏目錄有本事經二卷乃知本事詩本事曲

○禮云毋

及許叔微方之權輿矣

肥後國熊本有人患一奇疾每晨蓐上有沙如撒老醫村井大年椿採之試煮則化爲血因知其係肌衄與黄耆桂枝五物湯數日而愈又託摩郡川尻坊有人寒熱淋露殆廿餘年而不觧一日忽見外腎側生一蚫大如小毬既而脱批檢之内有一小石自此寒熱不復發矣先君子劄記中識此二証

唐書王燾傳有視絮湯藥之語四庫書目提要註稱案視絮未詳按先君子門人江本菘菴菘曰由絮羹鄭康成註絮猶調也釋文云絮敕慮反謂加以鹽梅也據此猶言調劑也蓋清闕等未考及此也

聿修堂藏版

珠算見于周髀算經

。者算學亦有器乎曰有古用籌

丹鉛錄卷八可攷

孫季昭示兒編曰字譜總論訛字如銭之勿姉之姊診之訴凡此皆俗書也

門人問千金方稱續骨木二十兩破如算子大不知其狀奈何余漫然答曰此今算珠子耳頃閱梅勿菴古算器考始悔余言杜撰勿菴曰古用籌何以曰漢書言之矣用竹徑一分長六寸二百七十一而成六觚爲一握度長短者不失毫氂量多少者不失圭撮權輕重者不失黍絫又世說言王戎持牙籌會計此用籌之明證也若是則籌可用竹亦可用牙矣其言六寸成觚者有度量之用古尺既小於今尺才四寸奇亦取其便於手握耳

云

自注補江吳氏中饋錄有算條巴子切肉長三寸各如算子樣亦可以想其長短據此所謂如算子
大者破爲數寸以便于湯煮也證類生大豆註孟
詵云青竹算大四十九枚長四寸濶一分
叢殘小語馬前蹄之上有兩空處名竈門而揚外菴
集茄子根煎湯濯足能治竈瘃竈瘃足根凍瘡
也是人足亦有所謂竈矣右見乎于惺竹心簡齋
集錄按此說難信竈丁之徒多患皸瘃故名竈瘃
也茄子根湯方桐古雜俎原載之
靈樞經脈篇曰手少陰氣絶則其面黑如漆柴按謂其面墻黄
黑然柴字難解疑是梨訛以其字形相近也二十四難作面黑

書僊堂藏版

如梨脫漆字集註楊曰本經稱面黑如漆柴此云如梨漆柴者恒山苗也其草色黃黑無潤澤故以爲喻梨者卽人之所食之果也亦取其黃黑也考丁德用謂梨當作黧字是未通古義也呂覽遇合篇曰陳有惡人焉曰敦洽讎麋推顙廣顏面如漆赭赭說文曰赤土也是亦譬其色赤黑也漆梨漆赭語意相類而謂恒山苗爲漆柴未知出于何書

說文有⿱穴甲字曰入脈刺穴謂之⿱穴甲从穴甲聲然醫經未有用此字者

諸病源候論戴風𤸎候以其嘆裏有聲噫噫然名之林億等千金方凡例古經方以不語爲𤸎𤸎蓋𤸎卽噫字从疒者也千金方

噫公

作風懿薑庭曰懿古與意噫通書金縢公命釋文噫於其反馬融本作懿猶億也漢書高帝紀有意稱明德者文選註引作懿稱是音以音相通也噫不寤之聲見于禮檀弓註

嘉靖中武陵顧從德翻雕宋版素問序稱家大人未供奉内藥院時所梭然未詳其父爲誰後吳勉學收此刻于醫統正學中而未言及焉按天祿琳琅書目曰宋板漢書牒文前葉有趙孟頫像左方上書趙文敏公小像下書長洲陸師道題於顧汝修芸閣考明版秦漢印統有黃姬水序稱其書爲東川顧公所纂厥嗣汝由光祿汝修鴻臚汝和廷評共成之潘笠江集有詠古三首贈顧東川詩松江府志顧從禮字汝由顧從義字汝和而

聿修堂藏版

大師

不及汝修今卷中有顧從德印以修禮從義證之當即汝修之名但姬水稱其室爲鴻臚而世貞跋是書以光祿稱似誤此汝由之官屬之汝修固不若姬水序其所著之書爲可據也頃於輪池源伯賢許觀墓誌銘榻本其事履世系鑿然可據今記于左

太醫院御醫贈奉政大夫光祿寺少卿東川顧公墓誌銘

賜進士及第特進光祿大夫柱國少師兼太子吏部尚書建極殿大學士知制誥知經筵事國史總裁致仕郡人徐階撰

賜進士出身南京尚寶司卿致仕前中順大夫南京大常寺少卿珉江西按察司僉事奉敕提督學校上元許穀書

賜進士出身光祿大夫太子太保吏部尚書武英殿大學士
知制誥大典總理大誌總裁官吳郡嚴訥篆
御醫東川顧公以嘉靖甲寅避寇吳興遂以其年七月十八日卒於旅次
嗣子中書舍人從禮匍匐奉柩歸葬上海肇嘉浜之南原後十年
從禮遷鴻臚寺丞又六年遷光祿寺少卿加四品服色再贈
公如其官又十年以今伯平泉陸公狀詣予泣言曰先君子
之將瞑也痛不克榮吾祖屬孤爲乞移封故墓中之石未刻上
之登極孤援貂以請竟格於例今孤已老無復有所待而先君子懿行
不可使無聞也敢以銘請予素最知公予女又適少卿之子九錫不得辭
按公諱定芳字世安別號東川世吳人也元末有諱友賓者居上海之松

宅里倜儻好義嘗築東西二樓以備警國初或奏其違式逮死于
皇城之役其子睦年十一白文冤得免罰匠放歸睦子敏始從居縣
治之東敏子美領天順己卯鄉薦仕爲延安同知歲侵以便宜發
粟全活甚衆官至廣南知府廣南生省軒公澄以少子定芳
貴贈光祿署丞配曰宮詹文裕公之姑贈孺人陸氏公考妣
也公少病喘骨立然性淵朗不凡廣南奇之數曰昌吾門者此
子也年十六病痊力學問絶去子弟華靡驕逸之習循循
孝謹以德器稱鄉閭既遊邑庠應例入大學益務爲博覽
自六籍子史以及稗官小説法書名畫金石鼎彝皆能討
論鑒定而尤深於醫素問内經醫家或讀不能句公皆熟

學。

。不

誦精了其論陰陽生制逆順之理弘博玄微縱橫開闔卽學士
之耆宿者不能難也故相夏文愍公走書延至京師數與文
衡山事語人曰今惟東川可當此會世宗皇帝重醫建聖濟
殿以祀醫之先聖先師掌醫院工書許紳遂以公薦召肄御
醫領諸醫直其中尋奉命授內侍醫經預校書皇帝所
集方藍製御藥時時賜金綺進修職郎漸貴顯矣然公意
恆若有所不樂每與士大夫撫掌談當世之務抗衷今古竟日
不休至其敏見達識人所沈思未得叩之無不立應亦無不懸
中予嘗見其議均糧徭差海警等事旣竊服其達而諸與然
逹者亦昏曰東川非醫也儒之有用者也為人孝友侍

父母疾醫禱必虔至以口續食以體藉卧自歿至終喪無違
禮事寡嫂談如母談卒盡以所遺貲歸其壻待庶第世芳有
恩遠邇暨宗姻多仰公衣食婚葬有自鬻奴者前後三贖之置
學田百畝贍諸生又割口若干頃助公役及里之寠人咸賴
給足邑令莆陽鄭洛書有惠政歿而三喪不能舉爲買地以
葬仍歲賙其家與人處一以誠爲之謀必盡底裏平生不輕與
人交及既交亦不輕棄去也文憝以主復套議爲奸人所
傾不詔獄死西市賓客莫敢過門公獨周旋其間又爲治殮
具令廿卿杖其櫬登舟當是時人莫不爲公危然分宜者文
憝仇也語其子世蕃曰若東川可謂不負所知竟不加害也

豈忠信之感與有可以孚豚魚者耶公故患肺痿及文懿之變以憂憤增劇歎曰衰病之人不能爲知己死矣辛亥遂上疏致其仕公既禮賢好施歸而家日落未幾配李宜人卒公遂謝人事顧諸子曰豐約隨時吾老矣幸係祔終毋我負久也猶徉西湖山水間思以是終其身踰年倭寇作馳歸葬宜人草御寇城守數事欲條上之爲當道所尼然因公言竟城邑治民至今賴焉明年寇益張公避之吳興而病病亟猶草疏數千言未及上卒嗚呼其志可悲也已公生弘治己酉三月二十六得壽六十有六卒之明年督學御史趙君鏜教校輿論記公御賢李宜人事具其誌子男長卿少卿次從德

鴻臚寺序班次從仁邑庠生先公卒次從義大理寺評事出後其叔光禄署正上川次從孝府庠生出後從伯世美次從敬光禄監事出後伯父栢屏九六人公既以身教諸子又嘗作族譜訓教以孝弟諸子亦恂恂守矩法家庭相對如嚴師故今稱世家者首顧氏女子長適光禄監事唐贇次受國子生張之臣聘次適李賓陽次適凌景賢俱先卒次適河間知事沈紹伊九四人孫男九疇九叙九錫俱國子生九部邑庠生九夏早卒九儀府庠生九華國子生九苞早卒九霄九節九斿九法九十二人孫女適庠生唐國桂卿御進士張雲門光禄監事潘允達國子生曹任之潘威甫府庠生唐從龍一

愛朱家風聘一幼孔八人曾孫男復晋鼎豫咸泰頤震益孔九人曾孫女長適國子生潘晋龍次適潘雲杰餘幼銘曰惟古通儒不名一能緒餘土苴皆足以聞嗟嗟東川懷奇握珍有志未酬乃以醫升入侍聖濟出友縉紳高論長畫聽者咸驚施不問酬義不謀身流風遺矩範厥後人至今其家子孫振振義方讓嗣萬石惟文身雖没只名其永存

諸病源候論有瞤目候曰是風氣客於瞼眥之間與血氣津液相摶使目眥痒而淚出目眥恒濕故謂之瞤目按廣韻瞤切瞤瞤側目相視貌義不相叶瞤字當作涓涓說文涓小流也从水肙聲是與淚出眥濕之候符說文又有睊字曰睊消目也

从目支聲徐鉉等云當从浅省據此東漢時已有此名

袁子才曰史書載人形體者妍媸各備無載人 麻者惟文苑英華載潁川陳黯年十三袖詩見清源牧其曰篇詠河陽時痘痂新落牧戲曰汝藻才而花面何不咏之云余按北史崔瞻傳曰瞻熱病面多瘢痕然雍容可觀此為痘痂見史之始蓋痘瘡古人屬之于熱病也諸病源候論有傷寒登豆瘡候及傷寒登瘡後滅瘢候曰傷寒病發瘡者皆是熱毒所為其病折則瘡愈而毒氣尚未全散故瘡痂雖落其瘢猶黶或凹凸肉起所以宜用消毒滅瘢之藥傳之

左大史小槻氏所録官符宣旨内記炮瘡發時曰天平七年始

聿修堂藏板

發然甚微也（又云天平九年）自天平八年至延曆九年（凡歷五十三年）又流行而後弘仁五年（自延曆十年至此廿五年）仁壽三年（自弘仁六年至此卅八年）元慶三年（自仁壽四年至此廿六年）延喜十五年（自元慶四年至此卅六年）天曆元年（自延喜十六年至此卅六年）天延二年（自天曆二年至此廿七年）正曆四年（自天延三年至此十九年）寬仁四年（自正曆五年至此廿八年）長元九年（自寬仁五年至此十六年）各經數十年而流行不若後世此歲有患此者然麻疹則今又閱廿餘年而傳行烏知後來復若患痘瘡者連歲有之

蘇頌曰用根者不識其苗採藥者莫究其用因緣差失不復更辨是弊也今時醫家及講本草之學者各所不免

半夏味痠辛（日華子註）牽牛子味苦痠（同上）茜根味酸（同上）芋生則有毒

蔆不可食註蔆音杕陶氏集注源順和名鈔引崔禹錫食經茄子味甘醶註唐韻力減反醎味也醎音初減反酢味也俗語云恵久之今査字書順所釋與醶醎二字不同而反似於陶及日華子說為妥

晏子春秋曰景公病水卧十數日夜夢與二日鬬不勝晏子朝公曰夕者夢與二日鬬而寡人不勝我其死乎晏子曰公所病者陰也日者陽也一陰不勝二陽故病將已呂覽宣已篇曰室大則多陰臺高則多陽多陰則蹷多陽則痿此陰陽不適之意也夫醫和論六氣有陰陽之淫莊子稱病為陰陽之患然則醫之為術莫往非是理矣然豈止方技一家之私言耶亦天地自

然之道也

皇朝古籍多援崔禹錫食經而其所載考諸字說及本草之書有不同者故先師蘭山小野先生曰是書疑非脩唐人所著考脩唐志有崔氏食經四卷然不著其名字新舊唐志有崔浩食經九卷俱別録食經數部亦無禹錫所著而新唐書崔融傳曰融六子其聞者禹錫翹禹錫開元中中書舍人贈定州刺史謚曰貞而不記其著食經則知先生之言益可信矣後又覽之于錦城大田先生曰如篁之爲竹田嵐之爲猛風霞之爲靄帳之爲簿後人以爲俗訓者不知六朝人嘗稱之帳見于北魏書釋老志篁嵐霞見于文選

註據此崔禹錫食經以茸爲菌骨蓬爲萍蓬根辛菜爲莶蕗爲

欵冬鵃爲班鳩雲雀爲告天子鸗鳥爲秧雞鯛爲棘鬣魚鮏爲猪鱸鮎爲香魚之類惡知六朝間之所稱而後世學者失其字訓現在書目載食經四卷崔禹錫撰乃合隋志所著者此又一說

○嘈雜

鬼遺方有治竹木所刺入手足壯不出方按楊雄方言曰凡草木刺人北燕朝鮮之間或謂之壯今淮南人亦呼壯

三因方曰中脘有飲則嘈後來又稱之爲嘈雜音聲雜合之謂於義難叶考趙德麟侯鯖録曰愁憂也集韻楊雄有伴牢愁音嘈今人言心中不快爲心曹當用此愁字即憂也蓋嘈雜之嘈與此同意

一日過曾占春槃齋頭案有爾雅一部晤語之際余執閲之釋魚有攝龜之目註曰小龜也腹甲曲折解能自張閉余廼謂占春曰諸病源候論養生方導引法云䐜小腹者⿰月聶腹牽氣是攝龜之攝義與此同而其作⿰月聶蓋俗字也（⿰月聶字見于集韻曰⿰月屬肉動也）

活人書曰治傷寒有法治雜病有方此說一出後人奉爲夫不易謂之方矣可準謂之法矣仲景著傷寒論設一百一十三首藥劑命之曰方者蓋有此方而治此病有此病而主此方使後人知不可易以佗劑也其評辨脈理題之曰法者使後人亦於診按之際可準其言以裁決也服桂枝湯盡劑不汗更服依前法又用桂枝加葛根湯不須啜粥餘如桂枝法將息及禁

忌云者是亦謂可準前以煮用也是不唯治傷寒一證其治雜病亦然故治傷寒之方無不可以治雜病而治雜病之法亦可以準治傷寒豈得謂彼特有方而此反無之此獨有法而彼反無之耶朱氏之說亦何等囈語

素問靈樞八十一難經傷寒論金匱玉函方論謂之醫家五經而可也明人以劉完素李明之朱震亨配之仲景爲醫宗四大家不倫之甚何至此耶若彼三子者烏得窺長沙氏之門牆耶後人於三子之說苟有所枘鑿則巧飾回護而曰甲言其本乙指其標故不同者矣六朝人崇敬漢學之甚至有寧道周孔誤莫言鄭服非之諺則局守之蔽古今通病而亦不唯醫家之陋

矣

近時醫家或信西洋體療之說者余每嘆其術不唯於世無裨而受害者不尠偶見古人論及西術者因記于此朱錫鬯定歷玉衡序曰西洋之學溺于數之內而不能出于理之外儆人以所不知錢曉徵與戴東原論婺源江氏推步之學書曰江氏大率祖歐邏巴之說引而伸之其意頗不滿於宣城而吾益知宣城之識之高何也宣城能用西學江氏則爲西人所用而已又曰西士之術固有勝於中法者習其術也習其術而爲所愚弄不可也有一定之丈尺而後可以度物有一定之衡石而後可以權物今江所持以衡量者有一定乎無一定乎紀曉嵐槐西

雜志曰西學之致功亦以格物窮理爲要以明體達用爲功與儒學次序畧似特所格之物皆器數之末所窮之理又支離怪誕而不可詰是所以爲異學耳三氏之論徵之今時所行之術實中垣外癥結矣

默弟濟納者西洋醫科之稱也曉嵐又云

疫神瘧鬼之説其來尚矣蔡邕獨斷曰疫神帝顓頊有三子生而亾去爲疫鬼其一者居江水是爲瘧鬼（盧文弨校註曰瘟譌瘧亦作虐禮儀志注作虎亦虐之譌無下鬼字）其一者居若水是爲魍魎其一者居人宮室六區（校註樞譌）禺善驚小兒

河西王牧犍通於其嫂李氏李氏與牧揵之姊共毒魏公主魏

主遣解毒醫乘傳救之得愈見于通鑑百二十三卷

呂氏春秋古樂篇曰昔陰康之始陰多滯伏而湛積水道壅塞不行其原民氣鬱閼而滯着筋骨瑟縮不達故作爲舞以宣導之

慧琳一切經音義有雁疵燕疵字巢源所謂燕瘡雁瘡也通鑑宋明帝紀百三十三卷上多忌諱言語文書應回避者數百千改騧字爲騟以其似禍字故也即疵字亦當時所改

通鑑齊高帝紀百二十五卷丹楊尹王僧虔上言郡縣獄相承有上湯殺因名爲救疾實行寃暴註因因有時行瘟疫宜汗遂上湯以蒸殺之

薩及紀南山中八丈嶋人無患痘瘡者時偶有之棄諸人跡不到之地雖親戚不敢顧焉又俗間傳痘兒聞雷則結痂余驗之或似有驗蕭大亨夷俗考曰其俗最忌無過于痘瘡凡患痘瘡無論父母兄弟妻子一切避匿不相見調護則付之漢人如無漢人則以食物付之他所令患痘者自取之也至若夫妻之患痘也必俟聞雷聲然後相聚不聞雷聲則終身避匿如路人然其地寒患痘者少豈以雷生物而而且辟不祥故患痘之後必聞雷而後夫婦如初耶 偶湖撫書

偏枯非枯小之謂樓全善辨之為得檢古書非無枯小之義春秋繁露湯體長專小足左扁而右便尚書大傳湯扁者枯也鄭

[illegible]備堂藏版

玄註言瘍體半小象扁枯漢書自敘傳載班彪王命論公膺尚不數子註鄭氏曰膺音歷小也晉灼曰此骨偏膺之膺也說文髍膺病也从骨麻聲是即枯小之義也

錢天來辨病機十九條之妄見于傷寒溯源集第九卷

李方叔寒食詩有我亦茅簷自鑽燧煨針燒火檢銅人句見于

呂紫薇詩話

堂藏版

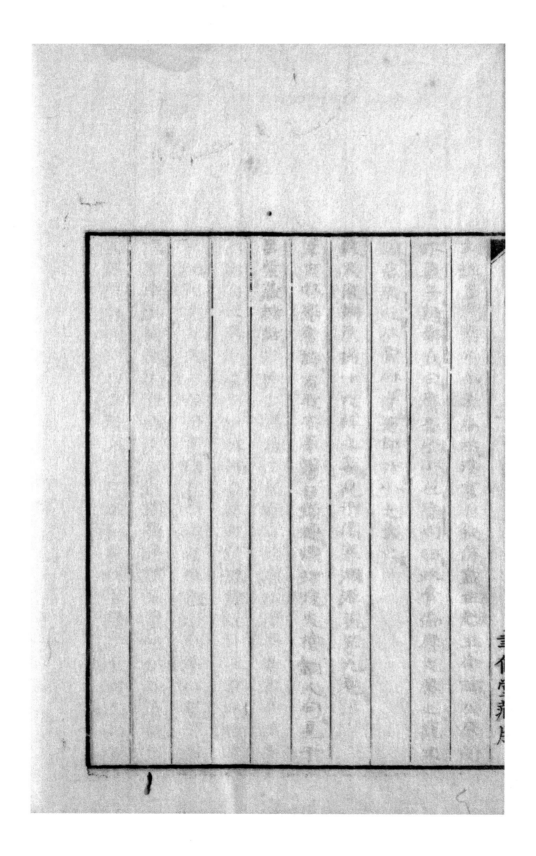

[illegible]藏版

[illegible][illegible]堂藏版

書 脩堂藏版

嘗於活文堂借錄未校然曾無經之事因及其跋
收之此本誤寫滿之其誤者如斯而可者
返諸家主者也

特1
959

1
959